JUMP COMICS

YU-GI-OH!

遊☆戯☆王《ゆうぎおう》

計画始動《プロジェクトスタート》!!

4

高《たか》橋《はし》和《かず》希《き》

《MAIN《メイン》 CAST《キャスト》》

本編《ほんぺん》の主人公《しゅじんこう》。いじめられっ子《こ》だったが「千年《せんねん》パズル」を解《と》いたことから、闇《やみ》のゲームを受《う》け継《つ》ぎ悪《あく》を裁《さば》く"正《せい》義《ぎ》の番人《ばんにん》"となった。

武《む》藤《とう》遊《ゆう》戯《ぎ》

城之内《じょうのうち》

▶不良《ふりょう》っぽいが、心《こころ》は優《やさ》しい。男《おとこ》の友情《ゆうじょう》を守《まも》り抜《ぬ》く、熱血漢野郎《ねっけつかんやろう》。

真崎杏子《まざきあんず》

▶遊戯《ゆうぎ》の幼《おさな》なじみ。勝気《かちき》で男《おとこ》まさりだけど、とってもC《キュート》な女《おんな》の子《こ》。

武藤双六《むとうすごろく》

▶遊戯《ゆうぎ》の祖父《そふ》。亀《かめ》のゲーム屋《や》・主人《しゅじん》で、ゲームにやたらと詳《くわ》しい。

本田《ほんだ》

▶城之内《じょうのうち》の友人《ゆうじん》。ぶっきらぼうだが根《ね》は純情《じゅんじょう》で、男気《おとこぎ》あふれるヤツ。

海馬瀬人《かいばせと》

▶"闇《やみ》のゲーム"で遊戯《ゆうぎ》に破《やぶ》れて以来《いらい》、深《ふか》い恨《うら》みを抱《いだ》いている。

YU-GI-OH!

遊戯王《ゆうぎおう》

Vol.4

〔もくじ〕

遊闘《バトル》25　1《ワン》インチの恐怖《きょうふ》——7
遊闘《バトル》26　死《し》のロシアン・ルーレット——27
遊闘《バトル》27　計画始動《プロジェクトスタート》!!——47
遊闘《バトル》28　第一《だいいち》の戦場《バトルフィールド》——73
遊闘《バトル》29　シューティング・スターダスト——95
遊闘《バトル》30　声《こえ》を出《だ》すな!!——117
遊闘《バトル》31　殺人《マーダーズ》の館《マンション》——139
遊闘《バトル》32　チェンソーデスマッチ!!——161
遊闘《バトル》33　正方形《せいほうけい》の恐怖《きょうふ》!!!——181

遊闘《バトル》25

1《ワン》インチの恐怖《きょうふ》

よーし！今日《きょう》こそ アイツの記録《きろく》を破《やぶ》ってみせるぜー!!
城之内《じょうのうち》くん…そんなにゲームが強《つよ》いヒトがいるの？
おお！今《いま》じゃ伝説《でんせつ》になってるほどでよ——！
たとえばこのレーシングゲーム！
RACER
ほら！ランキング上位《じょうい》のやつは 名前《なまえ》が登録《とうろく》できるだろ！
1ST KAI
2ND RYU
3RD THX
4TH DAK
AAA
ほらこいつ…「K《カ》・A・I《イ》」って奴《やつ》!!
KAI
RYU
「K《カ》・A・I《イ》」…!?

このゲームだけじゃない…
パズルゲーム格闘《かくとう》ゲーム…
このゲーセンにおいてあるほとんどのゲームのレコードをこの「K・A・I《カイ》」って奴《やつ》が独占《どくせん》してんだぜ！
ここのゲームは全国《ぜんこく》のゲーセンとオン・ラインでつながってるんだ！
一体《いったい》どんなヒトなのかな？
へー！
そんなにスゴいヒトがいるのかー！
つまり「K・A・I《カイ》」って野郎《やろう》は日本《にほん》であらゆるゲームのトップに君臨《くんりん》するゲーマーってワケだ！
オレも顔《かお》は見《み》たことねーんだけどな…
つまりだ遊戯《ゆうぎ》！
この野郎《やろう》の記録《きろく》を破《やぶ》れば日本一《にほんいち》ってことになるワケよー！
そっかあ!!
おーし！「K・A・I《カイ》」て奴《やつ》をブッ倒《たお》ーす!!
お――!!
ププ…ン…！
無理《むり》に決まってんじゃんなあ…
あんたに海馬《かいば》サマの記録《きろく》を破《やぶ》るなんてできやしないよー！
なにいいい〜このクソガキども――!!

ね…ねえ君《きみ》！
今《いま》海馬《かいば》っていったよね！
ああ
海馬《かいば》サマだよ！
オレらの伝説《でんせつ》のヒーローさ！
そうそう
兄弟《きょうだい》だけど
兄《あに》の方《ほう》だぜ！
ゲームの天才《てんさい》さ！
海馬《かいば》くんだ!!
KAI
彼《かれ》は
マジック&《アンド》ウィザーズだけじゃなく……
あらゆるゲームのエキスパートだったのか!!
でもね…最近《さいきん》
海馬《かいば》サマは
普通《ふつう》のゲームは
つまらないから
やめたんだって…
そりゃそうさ！
敵《てき》がいないんだもんなぁ！
それでね
これは
噂《うわさ》なんだけど…
今《いま》極秘《ごくひ》の計画《けいかく》が
進《すす》んでいるらしいよ…
なんでも
究極《きゅうきょく》のゲームを
つくるって…
究極《きゅうきょく》のゲーム…!!
じゃあな！
せいぜい
記録《きろく》に
挑戦《ちょうせん》してな！
永遠《えいえん》にさ！
キャハハハハハ
ムス〜

遊戯《ゆうぎ》!
ゲームやろうぜ!
よーし!
くそーーっ!
オレは才能《さいのう》がないのかぁぁぁ!
ボクは格闘《かくとう》ゲームだぜ!
使《つか》うキャラクターはブルース・龍《りゅう》だ!
功夫《クンフー》の達人《たつじん》だぜ!
READY《レディー》!!
このキャラブルース・リーにソックリだな!
ボクブルース・リーの超《ちょう》・大《だい》ファンなんだ!!
〈ブルース・リー〉
いわずと知れた伝説《でんせつ》のアクションスター
主《おも》な代表作《だいひょうさく》として
「ドラゴン危機一髪《ききいっぱつ》」'71
「ドラゴン怒りの鉄拳《てっけん》」'72
「ドラゴンへの道《みち》」'72
「燃えよドラゴン」'73などがある

K.O.
よーし！コンピ対戦《たいせん》なら負《ま》けないぜ！
おーやるねー！
NEW CHALLENGE
あ！挑戦者《チャレンジャー》だ!!
対戦格闘《たいせんかくとう》ゲームは知《し》らないヒトと戦《たたか》うのが楽《たの》しいよねーー！
遊戯《ゆうぎ》
30'00
お
READY
相手《あいて》もブルース・龍《りゅう》を使《つか》ってきたぞ!!
よーし負《ま》けないぞ！
レディ!!
アタ！
よし！
いけー遊戯《ゆうぎ》!!
ガチャガチャガチャ
12'01
アチョーッ!!
K.O.
やったー!!接近戦《せっきんせん》での必殺技《ひっさつわざ》ワン・インチ・パンチが決《き》まったぜー！
ニューチャレンジャー!!
NEW CHALLENGE
お！連《れん》コインで挑戦《ちょうせん》してきたぞ！
勝《か》ったぁ！
また勝《か》ったぁ！

うわ…また挑戦《ちょうせん》してきた!!
さっきからずーっと同《おな》じ奴《やつ》だろ!!
もう三千円《ぜんえん》も連《れん》コインしてるぜー!
弱《よわ》いヤツにかぎってしつこい…
遊戯《ゆうぎ》なんか飲《の》むか?
ジュース買《か》ってくるからよ!
サンキューコーラがいいな!
OK《オーケー》!
また勝《か》っちゃった——!
おや…もう挑戦《ちょうせん》してこないみたいだ…
へへ…あきらめたかな……

おい
小僧《こぞう》!
こっち
向《む》け!
え…!?
アチョーッ!
ガキがぁぁ
たかがゲームに
勝《か》ったからって
調子《ちょうし》こいてんじゃ
ねーぞ!
本物《リアル》の格闘《ファイト》
ってもんを
教《おし》えてやるぜ
ホチョー——

アタタタタタタ
タタタタタタッ
…!!!
アチャーーッ
ウホッチョー!!
く…
ハハハハハハ
さっきの勝《か》ち誇《ほこ》った顔《かお》はどうした!
もう一度《ど》笑《わら》ってみせろよーコラァァァーー!!
お!
おもしれぇペンダントをぶらさげてるなぁ…
オレはよぉストリート・ファイトでつぶした相手《あいて》から必《かなら》ず戦利品《せんりひん》をいただくことにしてるんだぜ!
フフ…

今回《こんかい》はこいつをもらうとするか!!
ハハハハ
格闘《かくとう》ゲームはストレス解消《かいしょう》に最高《さいこう》だぜー!
兄《あん》ちゃん大丈夫《だいじょうぶ》かい?
く…
!!
パズルが……
パズルが…!!
あちち…
このコーヒー熱《あつ》いっての…
ン…!

カッ!!
遊戯!!
遊戯《ゆうぎ》!大丈夫《だいじょうぶ》か!!
う…うん…
大丈夫《だいじょうぶ》……
く…
へへ…このペンダントなかなか気《き》に入《い》ったぜ!
待《ま》ちやがれ!
あン…

ゴゴオオ
オオォォ
てめえ よくも
オレの 友達《ダチ》を…
絶対《ぜったい》 生《い》かしちゃ
おかねえ!!
へへ…
オレに
ストリート・ファイトを
しかけてくるとは
いい度胸《どきょう》だぜ!
てめえを
ブッ殺《ころ》して
そのペンダントは
返《かえ》してもらうぜ!
オレは
その道《みち》じゃ
負《ま》けなしでな…
空手《からて》や
ボクシングも
経験《けいけん》している…
殺《ころ》されるのは
てめえの方《ほう》だぜ

ウダウダ いってねえで かかって来《き》やがれ！
まあ そうあわてるな… へへ…
オレは こう見《み》えて ブルース・リーの 大《だい》ファンでなぁ…
ブルース・リーは 単《たん》なる アクションスターだけではなく 真《しん》の 格闘家《かくとうか》だった！
ブルース・リーが 実戦《じっせん》での強《つよ》さを 世間《せけん》に知《し》らしめた ロング・ビーチ空手大会《からてたいかい》！ そこで見《み》せた技《わざ》に ワン・インチ・パンチってのが あってよ！
たった1インチ《ワン》 (約《やく》3センチ)の距離《きょり》で テイクバックなしのパンチで 相手《あいて》をスッ飛《と》ばした 記録《きろく》が残《のこ》されている！
わかるか？ たった 1《ワン》インチだぜ！
そこで てめえには 1《ワン》インチの恐怖《きょうふ》って やつを味《あじ》わってもらうぜ！
これは オレ流《りゅう》の 格闘《かくとう》ゲームだ!!
そのゲームで お前《まえ》が勝《か》てば このペンダントは 返《かえ》してやるぜ！

ゲームだと!!
ゲームのルールを説明《せつめい》する!
このナイフの刃先《はさき》を お互《たが》いの口《くち》にくわえて闘《たたか》うんだ!!
なに!?
いやならこのペンダントはこの場《ば》でたたき壊《こわ》すぜ!
く…!
ホラ…こんな具合《ぐあい》に…
オレもナイフをくわえればゲームは五分五分《フィフティフィフティ》だろ!
…なんてな…オレのナイフだけは先《さき》が引《ひ》っこむギミックナイフだよーん!
ああ!やってやるぜ!
――ただし…
ナイフをくわえるのはオレだけでいいぜ!
ンなもんあったらてめえの顔《かお》をブン殴《なぐ》んのに気《き》がひけちまうからよ…

ハハハ…
後悔《こうかい》すんなよ！
オレのパンチがてめえの顔面《がんめん》をとらえたら ナイフが1《ワン》インチ 喉元《のどもと》にグサリだぜ！
まさしく「死亡遊戯《死のゲーム》」!!
いくぜー！
アチョーーッ！
くっ…
たしかに…オレの生死《せいし》の境目《さかいめ》はたった1《ワン》インチしかねえようだぜ!!

アチョーッ
アチョーッ
く…!
しかも!
この細《ほそ》い路地《ろじ》じゃ
左右《さゆう》の動《うご》きに
限界《げんかい》がある…
奴《やつ》にとって
圧倒的有利《あっとうてきゆうり》な
ゲームって
ワケか…!
くそ……
けっ
どうした…
ンなおせえ
パンチ 全部《ぜんぶ》
見《み》きれるぜ!
く…くそ
てめえ さっきから
両手《りょうて》をポケットに
つっこんだままで
ナメてんのかぁ!
ハァ
ハァ
この両方《りょうほう》の
ポケットには
友達《ダチ》との大切《たいせつ》な
約束《やくそく》がしまってあってよ…
てめえごとき相手《あいて》には
最後《さいご》まで見《み》せる
必要《ひつよう》はねえのさ!
くく…
バカめ…

腹《ボディ》が　がらあきだぜ――！
ぐ…
終《お》わりだ！
死《し》ねえええええ!!
く…
しゃあねえ！友達《ダチ》との約束《やくそく》を見《み》せてやるか!!

う…うわ……
プシャーッ
な……
へへ…
こいつは左《ひだり》ポケットに入《はい》ってた友達《ダチ》との約束《やくそく》…
コーラだぜ！
く…目《め》が……
そしてもう一方《いっぽう》…右《みぎ》の約束《やくそく》はよ………
こいつ……

てめえをぶっ飛《と》ばすって約束《やくそく》だぜ!!
けっ千年早《せんねんはえ》えぜボケがあ!
あららアゴ砕《くだ》けてら…知《し》らねっと…
遊戯!
パズルはとり返《かえ》したぜ!
あとはもう一本《ぽん》…コーラを買《か》ってくぜ!

遊闘《バトル》26　死《し》のロシアン・ルーレット

遊闘《バトル》26　死《し》のロシアン・ルーレット

ブロオオオォォ
なんで海馬《かいば》がオレら呼《よ》び出《だ》すワケ？
海馬《かいば》くんていえば最近《さいきん》学校《がっこう》でも顔《かお》を見《み》てないね……
ハイ…瀬戸様《せとさま》はなにかとご多忙《たぼう》ゆえ…
ここのところ一大事業《いちだいじぎょう》にとりくんでおりまして…
なにしろ「海馬《かいば》コーポレーション」の社長《しゃちょう》の身《み》ですから
海馬《かいば》コーポレーション？
え――!!
海馬《かいば》コーポレーションの社長《しゃちょう》～～!!
アミューズメント産業《さんぎょう》の最大手《さいおおて》じゃねえか!
まだ高校生《こうこうせい》だろーが!
ゲームとかレジャー産業《さんぎょう》じゃ世界《せかい》でも指折《ゆびお》りの企業《きぎょう》だぜ!
海馬《かいば》くんのゲームに対《たい》するプライドにはそんな背景《はいけい》があったのか…!

へへ…オレは副社長《ふくしゃちょう》なんだぜい!
久《ひさ》しぶりだね遊戯《ゆうぎ》くん!
先日《せんじつ》は楽《たの》しかったよ…
ケケ…
き…君《きみ》は海馬《かいば》くんの弟《おとうと》の…
小学生《しょうがくせい》で副社長《ふくしゃちょう》…!?
クク…オレの名前《なまえ》はモクバ…
海馬《かいば》モクバさ!
…
なんかやな予感《よかん》がするぞ……
この兄弟《きょうだい》はボクのことをあまりよくは思《おも》ってないハズだし……
おい遊戯《ゆうぎ》…そうかたくなるなよ!
君《きみ》らはVIP《ビップ》待遇《たいぐう》のお客《きゃく》さんなんだからね!
実《じつ》は兄《にい》サマが進《すす》めていたプロジェクトが完成《かんせい》してねー
明日《あした》落成式《らくせいしき》が行《おこな》われるんだ!

落成式《らくせいしき》…？
フフ… それでね…
友達思《ともだちおも》いの兄《にい》サマが 君達《きみたち》には 最初《さいしょ》に 喜《よろこ》んでもらおうと 今夜《こんや》 前夜祭《ぜんやさい》もかねて 特別《とくべつ》に招待《しょうたい》したと いうワケだぜい！
なんなの？ その プロジェクトって？
それは 秘密《ひみつ》…
楽《たの》しみは とっておかなく ちゃ！
クク…
遊戯《ゆうぎ》…
それは お前《まえ》への 復讐《ふくしゅう》の計画《プロジェクト》 DEATH-T《デステイー》 なんだぜい!!
お待《ま》たせいたしました！ 海馬邸《かいばてい》に到着《とうちゃく》 いたしました
ドーン
でけ〜〜〜〜っ！

まあ 遠慮《えんりょ》せずにあがってくれよ！
スゲー！
まるでヨーロッパ貴族《きぞく》のお屋敷《やしき》みてーだぜ！
ようこそ お待《ま》ちしておりました！
瀬人様《せとさま》の ご学友《がくゆう》の遊戯様《ゆうぎさま》でございますね！
瀬人様《せとさま》より心《こころ》づくしのもてなしをいたすようい付《つ》かっております
へへ…こいつら全員《ぜんいん》オレの召使《めしつか》いだぜい
〜！
おい兄《にい》サマはどうした！
ハイ…先《さき》ほどからお部屋《へや》の方《ほう》でお休《やす》みになられておられますが…
なんだよ兄《にい》サマは…
せっかくの前夜祭《ぜんやさい》に友達《ともだち》を呼《よ》んどいて
ここのところあまり お休《やす》みにならずに働《はたら》きづめでしたので…
このままお休《やす》みの邪魔《じゃま》はなさらぬ方《ほう》がよいかと存《ぞん》じますが…

ワルいなー
遊戯《ゆうぎ》くん…
しばらく
兄《にい》サマは 君《きみ》らの
相手《あいて》はできない
みたいだ！
今夜《こんや》は オレの
お客《きゃく》さんと
いうことで
もてなすことに
するぜい！
モクバ様《さま》…
とりあえず
お食事《しょくじ》の用意《ようい》など
いかがなものかと…
おーいいねー
オレさっきから
腹《はら》へってた
トコでよー！
なんだ！
それなら 早《はや》く
いってくれれば
いいのにー！
よし
君達《きみたち》には
世界《せかい》で一番《ばん》
おいしい物《もの》を
ご馳走《ちそう》するぜい！
ヒョー！
世界《せかい》で一番《ばん》
だってよー！
宮廷料理《きゅうていりょうり》みたいなのが
出《で》てくるのかなー！
おい
例《れい》のコースを
用意《ようい》しろ！
ハイ！
ゴゴ
すぐに
用意《ようい》いたします
クク…
せいぜい
楽《たの》しみに
してな…
期待《きたい》
しちゃうよな
――！

遊戯《ゆうぎ》には一度《ど》ゲームで負《ま》けたウラミがあるからなぁ…
今夜《こんや》その雪辱《せつじょく》をさせてもらうぜい!!
お待《ま》たせ――!!
ン…
!!
ウゲーすげー料理《りょうり》を期待《きたい》したのにハンバーガーにパフェお子様《こさま》ランチにケーキかよ………
やっぱガキだぜ!!

どう？すごくおいしそーでしょ！
遠慮《えんりょ》せずに召《め》しあがれ——…
…っと いいたいトコだけど それじゃあ つまらないぜい！
どう？これから ちょっとしたゲーム をしないかい？
ゲーム!?
ホラ この円卓《えんたく》
中華料理《ちゅうかりょうり》で みかける 回転式《かいてんしき》の ターンテーブル なんだ！
クル
クル
ゲームは 三人《にん》で順番《じゅんばん》に このテーブルを 回《まわ》す！
そして 目《め》の前《まえ》の ご馳走《ちそう》を 食《た》べるんだ！
まさか 毒《どく》なんて 入《はい》って ねーだろーな！
ハハ お客《きゃく》さんに そんな 失礼《しつれい》なこと するワケないよ
実《じつ》は ご馳走《ちそう》の どれかに すごい 高価《こうか》な宝物《たからもの》が 隠《かく》されているんだ！
それを 見《み》つけた人《ひと》の 勝《か》ちさ——！

よし
やろう!!
それなら
城之内《じょうのうち》さんから
どうぞ!
よし
いくぜーっ!
おりゃー
ガーッ
お子様《こさま》ランチ
ホットケーキ
スパゲティ
チョコパフェ
ピザ
ハンバーガー
メッ
ピタッ
ゲー!
お子様《こさま》ランチ
かよー!
城之内《じょうのうち》さん
ちゃんと残《のこ》さず
食《た》べなきゃ
ダメだぜ!
ゲームの
ルールなんだからな
それに
そのご馳走《ちそう》は
当《あ》たりかも
知《し》れないよ!

おう! わかってるぜ!
案外《あんがい》イケるじゃん!
ムシャ ムシャ
ン…
うぐっ…
ぐあああ…
!!
城之内《じょうのうち》くん どうしたの!
まさか…!!
!! 城之内《じょうのうち》くん
ぐあぁ…

ビンゴお！
城之内《じょうのうち》は 見事《みごと》当《あ》たりを引《ひ》いたようだぜい！ギャハハハハハ!!
こ…これは…
うぐぐ…
くくく そのとおり… それは 毒入《どくい》りのご馳走《ちそう》さーー！
このゲームは「死《し》の料理《りょうり》ロシアン・ルーレット」だ！
この毒《どく》は30分《ぷん》で 効果《こうか》が現《あらわ》れるぜ！
ロシアン・ルーレット!!
なんて恐《おそ》ろしいゲームを!!
フフ…人格《じんかく》が変《か》わるぞ！
今日《きょう》こそ裏《うら》の遊戯《ゆうぎ》をうち負《ま》かしてやるぜい！
城之内《じょうのうち》を助《たす》けたいだろ？
ならオレに勝《か》ってこの解毒剤《げどくざい》を手《て》に入《い》れるしかないぜ！

モクバぁ!
絶対《ぜったい》許《ゆる》さねぇ!!
フフ…
残《のこ》りのご馳走《ちそう》は五《いつ》つ…
その中《なか》にもう一《ひと》つ当《あ》たりが隠《かく》されている
遊戯《ゆうぎ》!
次《つぎ》はお前《まえ》の番《ばん》だ!
ガーッ
ピタッ
スパゲティだな…
さあ喰《く》え喰《く》え喰《く》えー!
パクッ

セーフ！
スパゲティには毒《どく》は入《はい》ってなかったようだな！
遊戯《ゆうぎ》！どうだうまかったろう!!
生《い》きるか死《し》ぬかのご馳走《ちそう》！
喰《く》った後《あと》に「あ～死《し》ななくてよかった～」って
生《い》きる喜《よろこ》びをかみしめられるんだから まさに「世界《せかい》で一番《ばん》のご馳走《ちそう》」だろー！
く…
早《はや》く城之内《じょうのうち》くんを助《たす》けなければ…
さあて 次《つぎ》はオレの番《ばん》か
ガーッ
ピョッ
ヒャッホー
オレの大好物《だいこうぶつ》のチョコパフェだー！
おいしー！
おいしいおいしい！
パクパク
……おかしいぜモクバの野郎《やろう》 この危険《きけん》なゲームに緊張感《きんちょうかん》のかけらもない……
やつめ…なにかトリックを使《つか》ってやがるな

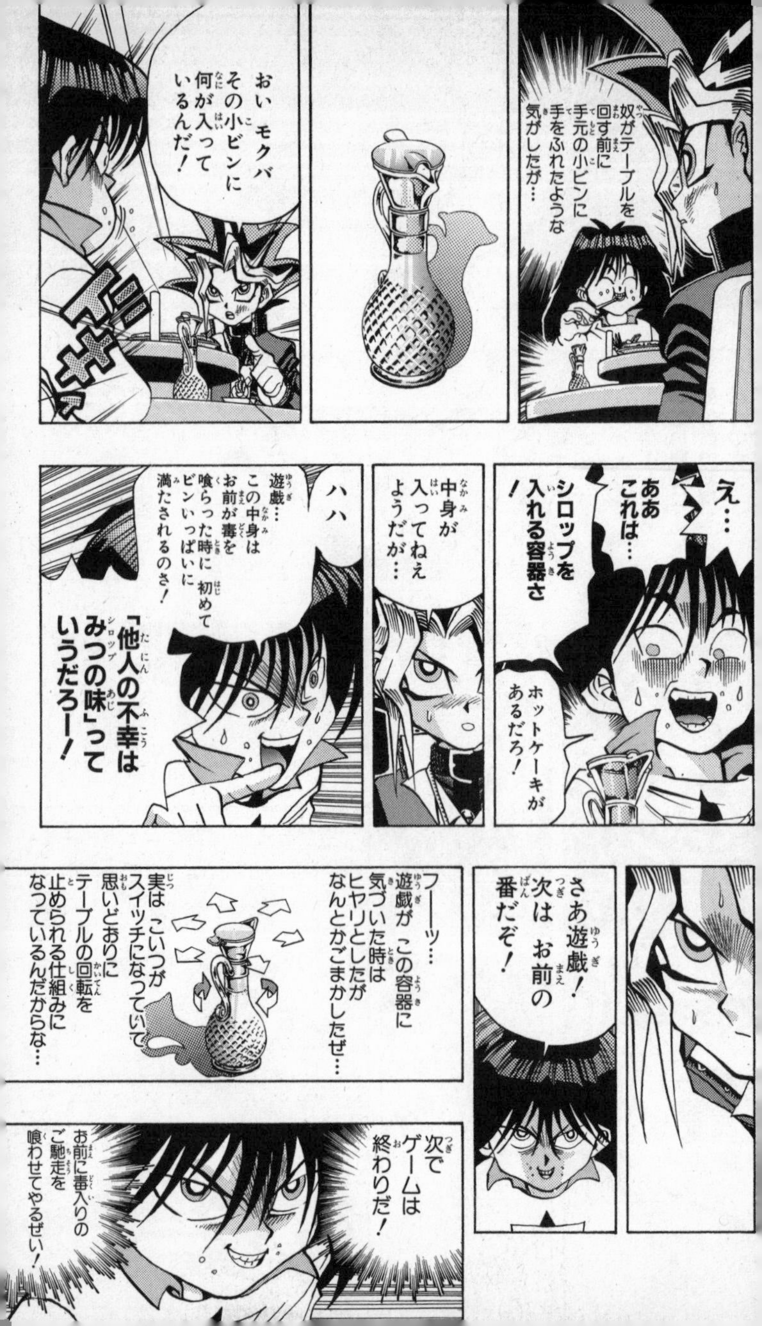
奴《やつ》がテーブルを回《まわ》す前《まえ》に手元《てもと》の小《こ》ビンに手《て》をふれたような気《き》がしたが…
おい モクバ その小《こ》ビンに何《なに》が入《はい》っているんだ!
え…
ああ これは… シロップを入《い》れる容器《ようき》さ!
ホットケーキがあるだろ!
中身《なかみ》が入《はい》ってねえようだが…
ハハ
遊戯《ゆうぎ》… この中身《なかみ》はお前《まえ》が毒《どく》を喰《く》らった時《とき》に初《はじ》めてビンいっぱいに満《み》たされるのさ!
「他人《たにん》の不幸《ふこう》はみつ《シロップ》の味《あじ》」っていうだろー!
さあ遊戯《ゆうぎ》! 次《つぎ》は お前《まえ》の番《ばん》だぞ!
フーッ… 遊戯《ゆうぎ》が この容器《ようき》に気《き》づいた時《とき》はヒヤリとしたがなんとかごまかしたぜ…
実《じつ》は こいつがスイッチになっていて思《おも》いどおりにテーブルの回転《かいてん》を止《と》められる仕組《しく》みになっているんだからな…
次《つぎ》でゲームは終《お》わりだ!
お前《まえ》に毒入《どくい》りのご馳走《ちそう》を喰《く》わせてやるぜい!

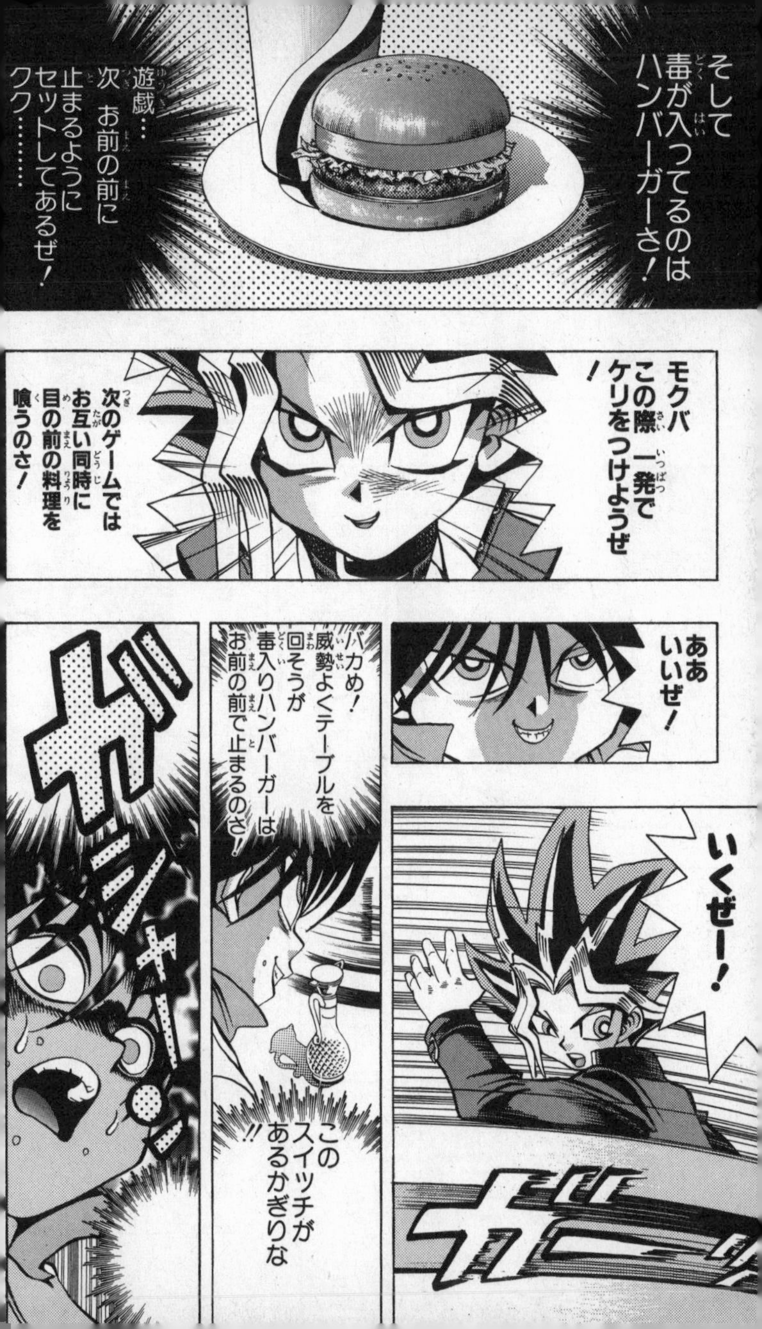

そして
毒《どく》が入《はい》ってるのは
ハンバーガーさ！
遊戯《ゆうぎ》…
次《つぎ》 お前《まえ》の前《まえ》に
止《と》まるように
セットしてあるぜ！
クク………
モクバ
この際《さい》 一発《いっぱつ》で
ケリをつけようぜ！
次《つぎ》のゲームでは
お互《たが》い同時《どうじ》に
目《め》の前《まえ》の料理《りょうり》を
喰《く》うのさ！
ああ
いいぜ！
バカめ！
威勢《いせい》よくテーブルを
回《まわ》そうが
毒入《どくい》りハンバーガーは
お前《まえ》の前《まえ》で止《と》まるのさ！
いくぜー！
この
スイッチが
あるかぎりな!!

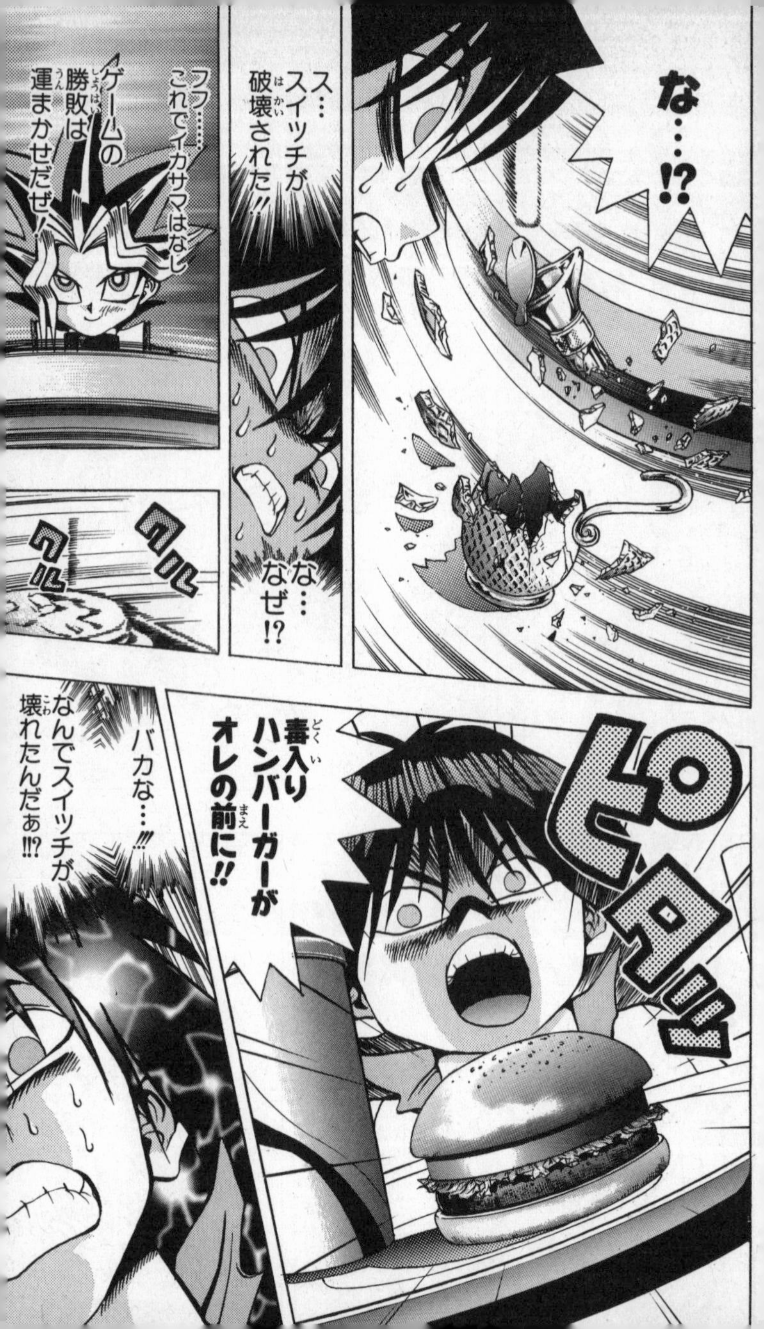
な…!?
ス…スイッチが破壊《はかい》された!!
な…なぜ!?
フフ……これでイカサマはなし
ゲームの勝敗《しょうはい》は運《うん》まかせだぜ!
クル
クル
ピタッ
毒入《どくい》りハンバーガーがオレの前《まえ》に!!
バカな…!!
なんでスイッチが壊《こわ》れたんだぁ!!?

!!
く…
い…いつの間《ま》に!
ターンテーブルの端《はじ》にペンダントをくくりつけてやがった…
遊戯《ゆうぎ》めえええええ〜〜〜!!
モクバ こっちの料理《りょうり》は喰《く》い終《お》わったぜ…
体《からだ》が なんともなかったってことは毒《どく》は 入《はい》ってなかったようだぜ!
さあて――
…!!
目《め》の前《まえ》のご馳走《ちそう》は 残《のこ》らず喰《く》うんじゃなかったのか!!

く…くそ…
ああ
喰《く》ってやる!
喰《く》ってやるとも
——っ!!
ウググ〜〜〜〜〜〜!
ギャー——
助《たす》けて〜〜〜
モ…モクバ様《さま》
これは…
城之内《じょうのうち》くん
解毒剤《げどくざい》は
手《て》に入《い》れたよ!
いよいよ明日《あした》
謎《なぞ》のプロジェクトが
動《うご》き出《だ》すというが……
一体《いったい》 何《なに》を
企《たくら》んでいるんだ!
海馬《かいば》!

このオレがマジック&《アンド》ウィザーズで負《ま》けた!!…だと…!?!?
遊闘《バトル》27
計画始動《プロジェクトスタート》!!
罰《ばつ》ゲーム!!

ウギャアアアアアアア!!
ドキドキドキ
こ…これが「死《し》の体《たい》感《かん》」!!

遊闘《バトル》27 計画始動《プロジェクトスタート》!!

ガバ
ハッ…
ハァ
ま…また
あの夢《ゆめ》だ
………
ハァ
ハァ

お目覚《めざ》めでございますか
瀬人様《せとさま》…
仰《おお》せのとおり遊戯《ゆうぎ》ともう一人《ひとり》の友達《ともだち》は屋敷《やしき》で一夜《いちや》を明《あ》かさせました…
そうか…
彼《かれ》らを前夜祭《ぜんやさい》に招待《しょうたい》したのに…
ついつい眠《ねむ》ってしまったよ……
一生《いっしょう》のうち朝《あさ》がどうしようもなく待《ま》ちどおしい夜《よる》が何度《なんど》かあるものだ
皮肉《ひにく》にもまた例《れい》の悪夢《あくむ》を見《み》たがな…
フフ…
だがあの悪夢《あくむ》を見《み》るのは今日《きょう》で最後《さいご》になるハズだ…

遊戯《ゆうぎ》…いよいよDEATH《デス》-T《ティー》が始動《しどう》するぞ!
城之内《じょうのうち》くん体《からだ》はもう大丈夫《だいじょうぶ》?
おお!一晩《ひとばん》寝《ね》たらなんともないぜ——!
けど 海馬《かいば》の野郎《やろう》に一宿《いっしゅく》の恩《おん》を受《う》けたのが気《き》に入《い》らねーぜ!
じーちゃん心配《しんぱい》してないかな~
連絡《れんらく》しないで外泊《がいはく》しちゃったからな~~
遊戯《ゆうぎ》!今日《きょう》オレらが招待《しょうたい》されるっつう落成式《らくせいしき》って何《なん》なんだ?
さあ
なんか気《き》がすすまないよね!
それにボクら厳重《げんじゅう》に監視《かんし》されてるような気《き》がするよ…屋敷《やしき》の外《そと》に逃《に》がすなっていわんばかりにさ……
部屋《へや》にも外《そと》からカギかかってたし…
お待《ま》たせいたしました
瀬人様《せとさま》がこちらに参《まい》られます
!

やあ遊戯《ゆうぎ》くん達《たち》!
会《あ》いたかったよ──!!
…!
海馬《かいば》くん!
なんだよ!久《ひさ》しぶりに会《あ》ったってのにうかない顔《かお》してぇ…
ホラホラ遊戯《ゆうぎ》くん!城之内《じょうのうち》くん!
再会《さいかい》の喜《よろこ》びをわかち合《あ》おうよ!

海馬《かいば》！
オレ達《たち》は呼《よ》ばれたくもねえのにここに連《つ》れこまれてあげくにゃてめえの弟《おとうと》に殺《ころ》されかけたんだぜ！
素直《すなお》に喜《よろこ》べるかー！
モクバだな…しょーのないヤツだ…
まあ子供《こども》の戯《ざ》れごとだからあまり気《き》にしないでくれたまえ！
戯《ざ》れごとで殺《ころ》すかぁフツ――!!
海馬《かいば》くんこれからボクらをどこに連《つ》れてくつもりなの？
フフ…
夢《ゆめ》のようなところ…さ！
さあさあ
時間《じかん》がもったいない！
さっそく出発《しゅっぱつ》しようじゃないか！
ボクだって遊戯《ゆうぎ》くん達《たち》に早《はや》くお目《め》にかけたくてウズウズしてるんだ！
いってらっしゃいませ！
知《し》ってのとおりボクは海馬《かいば》コーポレーションをとりしきる人間《にんげん》でね…
創立者《そうりつしゃ》の父上《ちちうえ》がつい半年前《はんとしまえ》に他界《たかい》してやむなくってところだが…

夢《ゆめ》のプロジェクトがついに実現《じつげん》したんだ!
君達《きみたち》にもきっと楽《たの》しんでもらえるハズさ!!
ホラ見《み》えてきたよ!
童実野町《どみのちょう》を一望《いちぼう》する夢《ゆめ》の塔《とう》が!!
ドーン
パン
パン
!!
KABA LAND
スゲーー!この巨大《きょだい》なビルを海馬《かいば》くんがたてたのー!!

名付《なづ》けて『海馬《かいば》ランド』！
屋内型《おくないがた》のアミューズメントパークさ!!
ガチャ
社長《しゃちょう》お待《ま》ちしておりました！
あ 海馬《かいば》サマだ！
ゲームの天才《てんさい》ボクらのヒーローー！
やあみんな！
海馬《かいば》ランドの落成式《らくせいしき》にようこそー！
海馬《かいば》サマー
あいつガキにすげー人気《にんき》だな…
…
遊戯《ゆうぎ》くん！
この海馬《かいば》ランドは三日後《みっかご》にオープンの予定《よてい》なんだが…
落成式《らくせいしき》というのはオープン前《まえ》に無料《むりょう》で開放《かいほう》して招待客《しょうたいきゃく》のチビッコ達《たち》に思《おも》う存分《ぞんぶん》遊《あそ》んでもらおうというものなんだ
だから君達《きみたち》も楽《たの》しんでいってくれたまえ！
…
なんだよ…海馬《かいば》ってやな奴《やつ》でもねーじゃん…
考《かんが》えすぎだったのかな…

さあみんな!
オープンだ!!
海馬《かいば》ランドへようこそ!!!
ドドドー
ワーイ!
あっちにゲームコーナーがあるぞ!
3D《スリーディー》モーションライド!
遊戯《ゆうぎ》くん!
ボクの夢《ゆめ》は世界中《せかいじゅう》に海馬《かいば》ランドをたてて世界中《せかいじゅう》のチビッコ達《たち》を喜《よろこ》ばせることなんだ!
へー
海馬《かいば》くんゴメンよ…ボクは君《きみ》のことを誤解《ごかい》してたみたいだ…
おーしオレらも遊《あそ》びまくるとすっかぁー
オー!
やい瀬人《せと》!!
…

お前《まえ》が社長《しゃちょう》を殺《ころ》したんだー！
…！
海馬《かいば》コーポレーションを乗《の》っとって お前《まえ》の父親《ちちおや》である社長《しゃちょう》を自殺《じさつ》にまで追《お》いやった…
お前《まえ》は悪魔《あくま》だ!!
おい つまみ出《だ》せ！
は
くそ～ はなせ～
悪魔《あくま》ーっ！
昔《むかし》…父上《ちちうえ》の片腕《かたうで》だった男《おとこ》だが今《いま》は用《よう》のないゴミだ！
一部《いちぶ》で くだらんデマが流《なが》れているようだ…
父上《ちちうえ》の死《し》は悲《かな》しいコトだがボクには関係《かんけい》ない…
むしろ 父上《ちちうえ》は オレという後継者《こうけいしゃ》がいて さぞ安《やす》らかに死《し》ねただろうと思《おも》うほどさ…
海馬《かいば》くん さっきまで見《み》せていた表情《ひょうじょう》が激変《げきへん》したぞ！
どっちが彼《かれ》の本当《ほんとう》の顔《かお》なんだ…!?
さあ 遊戯《ゆうぎ》くん！
パーク内《ない》を案内《あんない》するよ！

ここのアトラクションは最先端《さいせんたん》のハイテクマシーンばかりでね
たとえば3D《スリーディー》モーションライド――
うわあああぁー
こ…これがバーチャル・リアリティかよ！
ゴッゴッゴッ
スゲー迫力《はくりょく》！本物《ほんもの》の怪物《かいぶつ》が目《め》の前《まえ》に現《あらわ》れたみたいだぜ!!
ガガガガ
まだまだ楽《たの》しみはこれからさ！
今《いま》から見《み》せるのは今日《きょう》の落成式《らくせいしき》の最大《さいだい》のアトラクション！
遊戯《ゆうぎ》くん！君《きみ》のために特別《とくべつ》なショーを用意《ようい》してあるんだ！
ボクのためにだって～～～!?
なんかオーバーだな～
すごい歓声《かんせい》が聞《き》こえてくるぞ――！
フフ…
さあこの扉《とびら》のむこうだ！
入《はい》った入《はい》った！
君達《きみたち》には特別席《とくべつせき》を用意《ようい》してあるんだ!!

海馬《かいば》サマ!
あ…あれは…!!!
闘技場《とうぎじょう》みたいだぜ──!
ドドド
中央《ちゅうおう》に四角《しかく》い箱《はこ》が置《お》かれてるぞ…!?
海馬《かいば》サマ!
海馬《かいば》サマ!
あの箱《はこ》ン中《なか》に誰《だれ》かいるぞ!
あ…!!
あれは…!!
じーちゃん!!!

一体《いったい》…なぜ じーちゃんが ここに…!?
じーちゃん!!
!!
遊戯《ゆうぎ》!
パク
パク
じーちゃん!
じーちゃんが 何《なに》か いってるけど 何《なに》も聞こえない——!!
遊戯《ゆうぎ》!
ダメじゃ 声《こえ》はとどかん ようじゃ!
ワシは昨夜《さくや》 海馬《かいば》の手下《てした》どもに 拉致《らち》され ここに連《つ》れて こられた…
遊戯《ゆうぎ》の命《いのち》が 惜《お》しくばなどと 脅《おど》されての!
じゃが 遊戯《ゆうぎ》の 無事《ぶじ》な姿《すがた》を見《み》て ホッとしたワイ!
遊戯《ゆうぎ》! 海馬《かいば》は 何《なに》か 企《たくら》んでおるぞ!
じーちゃん!!
こら 中《なか》に入《はい》るな!
あ! 海馬《かいば》サマだ!
海馬《かいば》サマ!

海馬《かいば》サマには誰《だれ》もゲームじゃかなわない！
そこがしびれちゃうところだぜ―！
海馬《かいば》サマ―！
ドオオ
遊戯《ゆうぎ》…お前《まえ》にはマジック&《アンド》ウィザーズで一度屈辱《くつじょく》を味《あじ》わわされた！その屈辱《くつじょく》を晴《は》らす日《ひ》が来《き》たのだ！
ドオオオオオ
オレに勝《か》ったことを「死《し》」をもって償《つぐな》わせてやる！
じーちゃん―！
海馬《かいば》め何《なに》をする気《き》だ！

これより
マジック&《アンド》ウィザーズの
勝負《しょうぶ》をご覧《らん》に
いれよう！
私《わたし》に
挑戦《ちょうせん》するのは──
ゲームマスターを
自負《じふ》する
マジック&《アンド》ウィザーズでは
負《ま》け知《し》らずのご老人《ろうじん》だ！
マジック&《アンド》ウィザーズ!?
じーちゃんと
海馬《かいば》くんが！
ハハハ──
あのじじいが
海馬《かいば》サマに
挑戦《ちょうせん》するだと
ドドド
無理《むり》 無理《むり》
勝てるわけ
ないぜー！
遊戯《ゆうぎ》…
ワシは勝《か》つよ！
じーちゃん
本気《ほんき》だ！
ドキドキ
くくく
じじい…
オレに遠慮《えんりょ》は
するな！
最高《さいこう》の手札《てふだ》で
挑《いど》んでこい！
ああ
そのつもり
じゃよ！
ワシの手札《てふだ》には
史上最強《しじょうさいきょう》のカード
「青眼の白龍《ブルーアイズホワイトドラゴン》」が
入《はい》っておる！
青眼の白龍
★★★★★★★★
攻撃力3000
守備力2500
そのカードを
引《ひ》けば
ワシの勝《か》ち
じゃ！
ライフポイントは
二〇〇〇
手札《てふだ》は四十枚《まい》！

ゲームスタートだ!!
じじい! 我々《われわれ》のいる四角《しかく》い箱《はこ》は このカードゲームのために ハイテクを駆使《くし》して 作《つく》りあげたものでね…
老体《ろうたい》のあんたには 少々《しょうしょう》きついかも しれないよ!
?
フフ… 例《たと》えば オレが このカードを 場《ば》に出《だ》すとする……
サイクロプス
攻撃力1200
守備力1000
――そうすると
ヒャッ!!
四方《しほう》の壁《かべ》には 3D映像《スリーディーえいぞう》として カードのモンスターが 出現《しゅつげん》する――
カード・バトル バーチャル・シミュレーター ボックスなのだよ!
ス… スゴイ…!!
まるで 本物《ほんもの》のモンスターが せまってくるような 臨場感《りんじょうかん》じゃ!!

フフ…
遊戯《ゆうぎ》とのゲーム体験《たいけん》をバーチャル・リアリティによって再現《さいげん》させたのだ！
あまり 年寄《としよ》りの心臓《しんぞう》には よくないゲームじゃ…
ワシの番《ばん》じゃな…
魔法《まほう》攻撃《こうげき》！
防御《ぼうぎょ》！
「ホビット」の攻撃《こうげき》！
海馬《かいば》くんのライフポイントは五〇〇マイナスじゃ
あのじじい けっこうやるぜ！
でも海馬《かいば》サマにかなうワケないよ！
ゴォオオ
う…
ドキドキ
じじい 今《いま》の攻撃《こうげき》で三〇〇ポイントマイナスだ！
これでオレが少《すこ》し有利《ゆうり》になった……
まだまだ…
すごいゲーム展開《てんかい》だ！ さすがにこの二人《ふたり》のレベルは半端《はんぱ》じゃない！
じいちゃんがんばれ！

ホホ…この少年《しょうねん》 なかなかやりおる…魔法《まほう》カードの使《つか》い方《かた》に多少《たしょう》の難《なん》はあるがの…
…
海馬《かいば》くん…
ワシの勝《か》ちじゃ！
『青眼《ブルーアイズ》の白龍《ホワイトドラゴン》』カードを引《ひ》いた
このカードを場《ば》に出《だ》せば勝負《しょうぶ》は決《き》まる！
攻撃力3000
〃守備力2500
！
ホホ…
ならば…オレは
その前《まえ》にこのカードを場《ば》に出《だ》そう
…!!
次《つぎ》のターンでさらに…
!!
バカな…

さらにもう一枚《まい》！
「青眼《ブルーアイズ》の白龍《ホワイトドラゴン》」が三枚《まい》じゃと!!
ドドド
フフフ…
ワ…ワシの負《ま》けじゃ!!

じーちゃんが負《ま》けた…!!
まさか…
こ…この少年《しょうねん》は入手困難《にゅうしゅこんなん》の このカードを一体《いったい》どうやって…
フフ… 世界中《せかいじゅう》に このカードゲームの マニアは数多《かずおお》くいるが…
たった四人《にん》 このカードを持《も》つコレクターを探《さが》し当《あ》てたよ…
一人《ひとり》はアメリカ ドイツに一人《ひとり》 香港《ほんこん》に一人《ひとり》…
もう一人《ひとり》は じじい あんただ!
当然《とうぜん》 渡《わた》せといって 首《くび》をたてに振《ふ》る奴《やつ》などいない…そこで 強行手段《きょうこうしゅだん》を使《つか》ってね…
オレの財力《ざいりょく》を使《つか》えば 連中《れんちゅう》を破産《はさん》に追《お》いこむこともできたし マフィアを動《うご》かすこともできた…
一人《ひとり》は 自殺《じさつ》にまで 追《お》いこんでやったよ!
…!!
なんと恐《おそ》ろしい少年《しょうねん》じゃ!!
じじいー オレに負《ま》けた罰《ばつ》だ!!
ワ…ワシの「青眼《ブルーアイズ》の白龍《ホワイトドラゴン》」カードを…!!
わはははは これで このカードを持《も》つ者《もの》は 世界《せかい》で オレ一人《ひとり》というワケだあぁー!

さらに じじい!
お前《まえ》に 罰《ばつ》ゲームを 与《あた》えてやる!
ゴゴゴ
ゴゴ!!
ゴゴゴゴ
ヒイイイイイイイ
ワーハハハハハ
バーチャル・リアリティによる「死《し》の体感《たいかん》」だ——!!!

ぐわあああ〜〜〜っ
ドクン★
ドクン★
じーちゃん!
じーちゃん!!
海馬《かいば》サマ強《つよ》いぞー
ドドドドド
海馬《かいば》サマ—!
ヒイイイイイ
海馬《かいば》!! じーちゃんをあの箱《はこ》から出《だ》せ!!
フフ…
以前《いぜん》 あのシミュレーターで人体実験《じんたいじっけん》をしたことがある…
その結果《けっか》どんな人間《にんげん》でも約《やく》10分《ぷん》で発狂《はっきょう》してしまうことがわかったよ…
早《はや》く あれを止《と》めないとじじいは廃人《はいじん》だな…

!!
あのシミュレーターを止《と》めるには条件《じょうけん》がある！
お前《まえ》が 海馬《かいば》ランドの裏《うら》のアトラクション—DEATH-T《デスティ》に挑《いど》むと誓《ちか》え!!
ドォ
ド
お前《まえ》への復讐《ふくしゅう》のためにつくりあげた「死《し》」のテーマパーク《DEATH-T》になあああ!!
「死《DEATH》」のテーマパーク《-T》!!!
ゴゴ
オオ

遊闘《バトル》28 第《だい》一の戦場《バトルフィールド》

ヒイイイイイイ!!!
ギャアアア
じーちゃん!
じーちゃん!!

ワハハハハ――
シミュレーターボックスで
じじいは バーチャル・リアリティによる
「死《し》の体感《たいかん》」を
味《あじ》わっているのさ!
あと5分《ふん》もすれば
じじいは発狂《はっきょう》してしまうだろうなー!
ゴゴゴ
海馬《かいば》! じーちゃんを
この箱《はこ》から出《だ》せ!
いいよ!
――ただし 条件《じょうけん》がある!
この海馬《かいば》ランドには
裏《うら》アトラクション
DEATH-T《デス ティー》が
用意《ようい》されている!
遊戯《ゆうぎ》! 君《きみ》に楽《たの》しんでもらうために 百億《ひゃくおく》の巨費《きょひ》をかけてつくりあげた
「死《し》」のテーマパークがね!
遊戯《ゆうぎ》!
DEATH-T《デス ティー》に
挑《いど》むことを条件《じょうけん》に
あのシミュレーターは
止《と》めてやるよ!
!!
ゴオオオ

わかったよ!!
DEATH《デス》-T《ティー》に
挑《いど》む!!
フフ……
シミュレーターを止《と》めろ!!
は!
プシュー
ゴゴゴゴ
ゼイ…
ゼイ…
じーちゃん!
じーちゃん大丈夫《だいじょうぶ》かい?
ゼイ
ゼイ
ゼイ…
ゼイ…
じーちゃん!

ゆ……
遊戯《ゆうぎ》……
ゴメンよ…ワシは負《ま》けてしまったよ……
じーちゃん!!
彼《かれ》は…恐《おそ》ろしい少年《しょうねん》じゃ
ゲームに勝《か》つためならどんなことでもする…たとえ…人《ひと》の命《いのち》を奪《うば》うようなことさえ……
じーちゃんしゃべらないで…!
ゼイ
ゼイ
遊戯《ゆうぎ》……
こ…これはさっき彼《かれ》との戦《たたか》いで使《つか》ったカードじゃ…
負《ま》けはしたがワシにとっては魂《たましい》のカードじゃ…
…これを…
じーちゃん…!
遊戯《ゆうぎ》…お前《まえ》なら…あの少年《しょうねん》に勝《か》てる!!
ゼイゼイ
!!

わかったよ
じーちゃん!
ボク勝《か》つよ!
じーちゃんの「魂《たましい》」のカードで
海馬《かいば》を倒《たお》す!!
遊戯《ゆうぎ》!
救急車《きゅうきゅうしゃ》を
呼《よ》んだぜ!
じいさんを
早《はや》く!
ごめん
じーちゃん…
ついてって
あげられなくて…
じーちゃん!!
グッ

ハハハハハ
遊戯《ゆうぎ》! 負《ま》け犬《いぬ》じじいのカードを大事《だいじ》そうに持《も》って そいつでオレに挑《いど》もうって気かい?
ドドド
ボクはじーちゃんと約束《やくそく》したんだ!
このカードで君《きみ》を倒《たお》すって!
ほぉ〜〜〜
オレは史上最強《しじょうさいきょう》カード「青眼の白龍《ブルーアイズホワイトドラゴン》」を三枚《まい》持っているんだぜ
ホラホラー
――だが お前《まえ》のそのカードの中《なか》には「青眼の白龍《ブルーアイズホワイトドラゴン》」は一枚《まい》もな〜〜〜〜い!!
わかっているさ!
卑劣《ひれつ》にも君《きみ》はじーちゃんの「青眼の白龍《ブルーアイズ・ホワイトドラゴン》」カードを破《やぶ》り捨《す》てた!
じーちゃんの「心《こころ》」のカードを!!!
クク… 安心《あんしん》しろ!
お前《まえ》とのマジック&《アンド》ウィザーズの再戦《さいせん》は 最初《さいしょ》から予定《よてい》していたことさ…
フフ… たとえ再戦《さいせん》してもオレの勝《か》ちは九十九%《パーセント》ゆるぎないがね……
このビルの頂上《ちょうじょう》には決戦《けっせん》のためのドームを用意《ようい》してある!
決戦《けっせん》ドーム
今《いま》いる二階《かい》から「死《し》」のアトラクションをクリアするごとに頂上《ちょうじょう》に近《ちか》づくことができるワケだ!
まあ
DEATH《デス》-T《ティー》攻略《こうりゃく》は お前《まえ》じゃ不可能《ふかのう》だがな!!

海馬《かいば》！
オレも行《い》くぜ！
遊戯《ゆうぎ》と一緒《いっしょ》に
よー！
城之内《じょうのうち》くん!!
フフ…
バカめ…
そんなツマらん
慣《な》れ合《あ》いなど
DEATH-T《デスティー》を
体験《たいけん》すれば　後悔《こうかい》する
ことになるんだ！
海馬《かいば》！
たった今《いま》　この場《ば》で
オレの拳《こぶし》で
てめえの青《あお》っ白《ちろ》い顔《ツラ》を
ぶっ飛《と》ばすのは
簡単《かんたん》だぜ！
だが――
それじゃぁ
意味《いみ》がねえ！
遊戯《ゆうぎ》が
カードゲームで
てめえを
ぶっ倒《たお》す!!

そのためには
命《いのち》張《は》って
遊戯《ゆうぎ》をサポートするぜ！
城之内《じょうのうち》くん…
フン…
オレを忘《わす》れちゃ困《こま》るぜ！
！
遊戯《ゆうぎ》！城之内《じょうのうち》!!
本田《ほんだ》!!
へへ…

本田《ほんだ》ぁ！
お前《まえ》 背中《せなか》に
ガキしょって
何《なに》やってんだ？
ダー
あ〜〜〜
コレかぁ〜
実《じつ》は 姉《あね》のガキの
面倒《めんどう》見《み》せられて
よ〜〜〜〜
海馬《かいば》ランドに
連《つ》れてけって ダダ
こねられてな…
ンで観客席《かんきゃくせき》で
見《み》てたら
お前《まえ》らが
いるじゃん！
この事態《じたい》に
オレの力《ちから》が
必要《ひつよう》だと
直感《ちょっかん》したね！
遊戯《ゆうぎ》！
オレも お前《まえ》に
力《ちから》を貸《か》すぜ！
本田《ほんだ》くん…
海馬《かいば》サマ〜〜〜！
〜〜〜!!
この———
うるさいんだよ！
おい
うるせえよ！
泣《な》かすなよ
本田《ほんだ》！
うわぁぁぁ
あ〜〜〜〜ん
本田《ほんだ》くん…
城之内《じょうのうち》くん…
みんな
ありがとう…
いてーじゃ
ないか〜
ヒロト！
ママに
いいつけて
やる！
うるせー！
フン

さあ！早《はえ》えとこゲームを始《はじ》めようぜ!!
フフ…
お前《まえ》らをまとめて葬《ほうむ》ってやるさ！
DEATH《デス》-T《ティー》のゲートを開《あ》けろ!!

ゴゴゴゴ
プシュー
DEATH
DANGER
ゴゴゴゴ
ゴゴゴ
ゴ
ドキ
ドキ
あの奥《おく》にどんな難関《なんかん》が待《ま》ち受《う》けているんだ…
さあ！ゲートをくぐれ！
遊戯《ゆうぎ》！
おい何《なに》が始《はじ》まるんだ!!
あのゲートの中《なか》に特別《とくべつ》な客《きゃく》だけが入《はい》れるテーマパークがあるらしいぞ―！
いいなー
海馬《かいば》サマーボクらも入《い》れてくれ―！

ダー
…
ドキ ドキ
遊戯《ゆうぎ》!
頂上《ちょうじょう》で待《ま》っているぞ!
ハハハハハハ
ズ ズン!
…!
もう後戻《あともど》りはできない…
おい…なんか不気味《ぶきみ》な感《かん》じだぜ〜〜〜
なにビビってんだ城之内《じょうのうち》!
暗《くら》いしょ〜〜〜
くそー どこまで続《つづ》いてんだ この通路《つうろ》は…
アトラクションなんて なんも ねーじゃん!

ドドドド
CAUTION!
DEATH T-1
DEATH-T《デスティー》-1《ワン》…!!
これがひとつめのアトラクションか!
ガー
扉《とびら》があいたぞ!
「緊急事態《きんきゅうじたい》」エマージェンシー
エマージェンシー
ビー
何《なに》が始《はじ》まるんだ!?
た…助《たす》けて～～!!
…ン!
!!

あ〜〜〜!!
え〜〜〜⁉
なんであんた達《たち》がいるの〜？
なんで杏子《あんず》がいんだよー！
あたし今日《きょう》からこの遊園地《ゆうえんち》でアルバイト始《はじ》めたの！
前《まえ》のバーガーワールド首《くび》になっちゃったのよ！尻《しり》さわった客《きゃく》を殴《なぐ》り飛《と》ばしちゃってさ…
……
ここに来《き》たらこんなコスチューム着《き》せられてこのアトラクションの案内役《あんないやく》務《つと》めることになったのよ
そしたらあんた達《たち》現《あらわ》れてビックリー！
でよ——助《たす》けてくれって叫《さけ》んでたけど何《なん》なんだよ！
演出《えんしゅつ》！このアトラクションのね！
その後《あと》にねお客《きゃく》さんにこうセリフをいうのよ！
この宇宙《うちゅう》ステーションはエネミー襲来《しゅうらい》により破壊状態《はかいじょうたい》にあります！
ここを救《すく》えるのはあなた達《たち》しかいません！
さあ！サイバーベストを装着《そうちゃく》してレーザー銃《じゅう》で敵《てき》を倒《たお》して下《くだ》さい……ってね！

杏子《あんず》ー お前《まえ》ってホント 緊迫感《きんぱくかん》のない 女《おんな》なーーー！
え〜〜〜 演技《えんぎ》ヘタ〜〜？
これでも けっこー練習《れんしゅう》したのよ！
アホ！
このテーマパークの意味《いみ》がわかっちゃいねーってことさ！
ま 知《し》らねー方《ほう》が幸《しあわ》せか…
？
とにかく最初《さいしょ》のアトラクションは銃《ガン》シューティングバトルってことらしい！
サイバーベストと銃《ガン》が用意《ようい》されてるよ！
明《あか》るい奴《やつ》だよ…
さあ 着替《きが》えてねー みんなー
似合《にあ》う 似合《にあ》うー
いい！ ゲームは3対《たい》3の対戦《たいせん》シューティングバトルよ！
戦闘《せんとう》はこの奥《おく》のエレクトリカル・フィールドで行《おこな》うの!!

このサイバーベストの胸《むね》の部分《ぶぶん》にセンサーがついてるの！敵《てき》のここを狙《ねら》って銃《ガン》を撃《う》つの！
このセンサーに敵《てき》のレーザーが当《あ》たると全身《ぜんしん》に軽《かる》い振動《しんどう》が伝《つた》わるようになってるわ
一撃《げき》でも攻撃《こうげき》を受《う》けたら その人《ひと》はゲームから抜《ぬ》けなければならないの
先《さき》にチームを全滅《ぜんめつ》させられた方《ほう》が負《ま》け…
ゲームオーバーよ！
海馬《かいば》はこのゲームのどこかに罠《わな》を仕掛《しか》けてるに違《ちが》いないんだ…
それは一体《いったい》…
おい杏子《あんず》！ゲームの間《あいだ》こいつ預《あず》かっててくれよ！
ダー
こ…この子《こ》本田《ほんだ》の子《こ》!?
アホか！
キャッキャッ
グリグリ～～って…
ムフ
ムフフ…
…！
…なによこの子《こ》…エッチな子《こ》ね…
よし行《い》くぜー！
ガーッ
頑張《がんば》ってね――！

誰《だれ》だ! あの女《おんな》を雇《やと》ったのは!!
あの女《おんな》は奴《やつ》らの仲間《なかま》だぞ!
申《もう》し訳《わけ》ありません…
まあいい…
DEATH-T《アトラクション》-1「シューティング・スターダスト」エレクトリカル・フィールドに奴《やつ》らが入《はい》るぞ!
用意《ようい》はいいな!!
は! 奴《やつ》ら三人《にん》を迎《むか》え撃《う》つエネミーの準備《じゅんび》は整《ととの》っております!
その道《みち》にかけては選《よ》りすぐりのプロを用意《ようい》しました!
フフ…

●ジョニー・ゲイル
●国籍《こくせき》 アメリカ
●元《もと》グリーンベレー大佐《たいさ》
●ゲリラ戦《せん》を得意《とくい》とする
●ボブ・マクガイア
●国籍《こくせき》 アメリカ
●元《もと》SWAT《スワット》狙撃班《そげきはん》リーダー
●どんな遠距離《えんきょり》でも必中《ひっちゅう》の腕前《うでまえ》
●名称《めいしょう》 不明《ふめい》
●国籍《こくせき》 不明《ふめい》
●現役《げんえき》の殺《ころ》し屋《や》
●狙《ねら》われた相手《あいて》は生存率《せいぞんりつ》0《ゼロ》
フフ…遊戯《ゆうぎ》！ このゲームで お前《まえ》らに持《も》たせた銃《ガン》はただのオモチャだが
この三人《にん》の持《も》つレーザー銃《ガン》がお前《まえ》らのサイバーベストのセンサーに命中《めいちゅう》した瞬間《しゅんかん》一〇〇万《まん》ボルトの電流《でんりゅう》が流《なが》れるようになっているのだ！
遊戯《ゆうぎ》！ お前《まえ》らの「死《し》」のゲームをゆっくり見物《けんぶつ》させてもらうぞ！
ワハハハハハハ

フフ… 海馬《かいば》ボーイは 奴《やつ》らの首《くび》に賞金《しょうきん》を かけてるんだぜ！
ゴゴオオオ
フフ…
楽《たの》しい ゲームに なりそうだぜ！
一人《ひとり》につき 一万《まん》$《ドル》か…
オレ一人《ひとり》で 三人《にん》を 仕止《しと》めさせて もらうぜ…
よし 気《き》合《あ》いいれて くぜー!!
ドンッ
ゴゴ
ゴゴ
ゴゴ

ゲームスタート!!

遊闘《バトル》29 シューティング・スターダスト

ドキ
ドキ
ドド
シューティング・スターダスト
ルール説明《せつめい》
○3人《にん》対《たい》3人《にん》の
銃《ガン》シューティングバトル。
○双方《そうほう》が装着《そうちゃく》している
サイバーベストの左胸《ひだりむね》
部分《ぶぶん》(心臓部《しんぞうぶ》)のセンサー
を狙《ねら》い撃《う》つ。
センサーに命中《めいちゅう》された者《もの》
はゲームオーバー。
○先《さき》に 相手《あいて》チームを
全滅《ぜんめつ》させた方《ほう》が
勝《か》ちとなる。
ドドド
○国籍《こくせき》・名称《めいしょう》不明《ふめい》
○職業《しょくぎょう》・殺《ころ》し屋《や》
○ボブ・マクガイア(アメリカ)
○元《もと》SWAT《スワット》狙撃班《そげきはん》リーダー
○ジョニー・ゲイル
○元《もと》グリーンベレー大佐《たいさ》

KAIBA
INFORMATIO
海馬《かいば》インフォメーション！
！
パッ
海馬《かいば》！
遊戯《ゆうぎ》！
このステージがDEATH-T-1《デス・ティー・ワン》最初《さいしょ》のアトラクションさ！
お前《まえ》らを迎《むか》え撃《う》つ三人《にん》はボクが雇《やと》ったプロの傭兵部隊《ようへいぶたい》だ
君達《きみたち》はこのステージで星《ほし》くずのようにはかなく散《ち》っていくことになるだろうね！
海馬てめぇ〜〜よく聞《き》けぇぇ！
オレ達《たち》は すべてのゲームをクリアして必《かなら》ず てめぇの所《ところ》に行《い》きついてやるぜ！
そしてじーちゃんのカードでもう一度《ど》勝負《しょうぶ》だ！
海馬《かいば》！
くくく……
遊戯《ゆうぎ》…君達《きみたち》の持《も》っている銃《ガン》はただのオモチャさ！
—だが
傭兵達《ようへいたち》の持《も》つレーザー銃《ガン》がお前《まえ》らのサイバーベストのセンサーに命中《めいちゅう》したら百万《ひゃくまん》ボルトの電流《でんりゅう》が流《なが》れるようになっているのだ…
せいぜい楽《たの》しんでくれたまえ

よし！ みんな 気《き》を引《ひ》きしめて けよ！
海馬《かいば》くんは ゲームに勝《か》つためなら 手段《しゅだん》を選《えら》ばない！ 手強《てごわ》い敵《てき》に 違《ちが》いないよ！
なあに オレは こー見《み》えても モデルガンの腕《うで》には 自信《じしん》あってよー
ガキの頃《ころ》は 窓《まど》から飛《と》んでる スズメを 打《う》ち落《お》とした もんよ！
ゲームスタート！

さあて——
あのガキ共《ども》を　どう
仕止《しと》めてやろうか!
ここは
ゲリラ戦《せん》の
得意《とくい》な　オレに
まかせな!
奇襲《きしゅう》をかけて
一瞬《いっしゅん》で　ケリを
つけてやるさ!
正面《しょうめん》で出《で》くわした
ところで
奴《やつ》らは素人《シロート》だ!
ブルって固《かた》まっちまう
のがオチよ!
こんなゲームでも
実戦経験《じっせんけいけん》を
積《つ》んだ者《もの》には
勝《か》てねえさ!

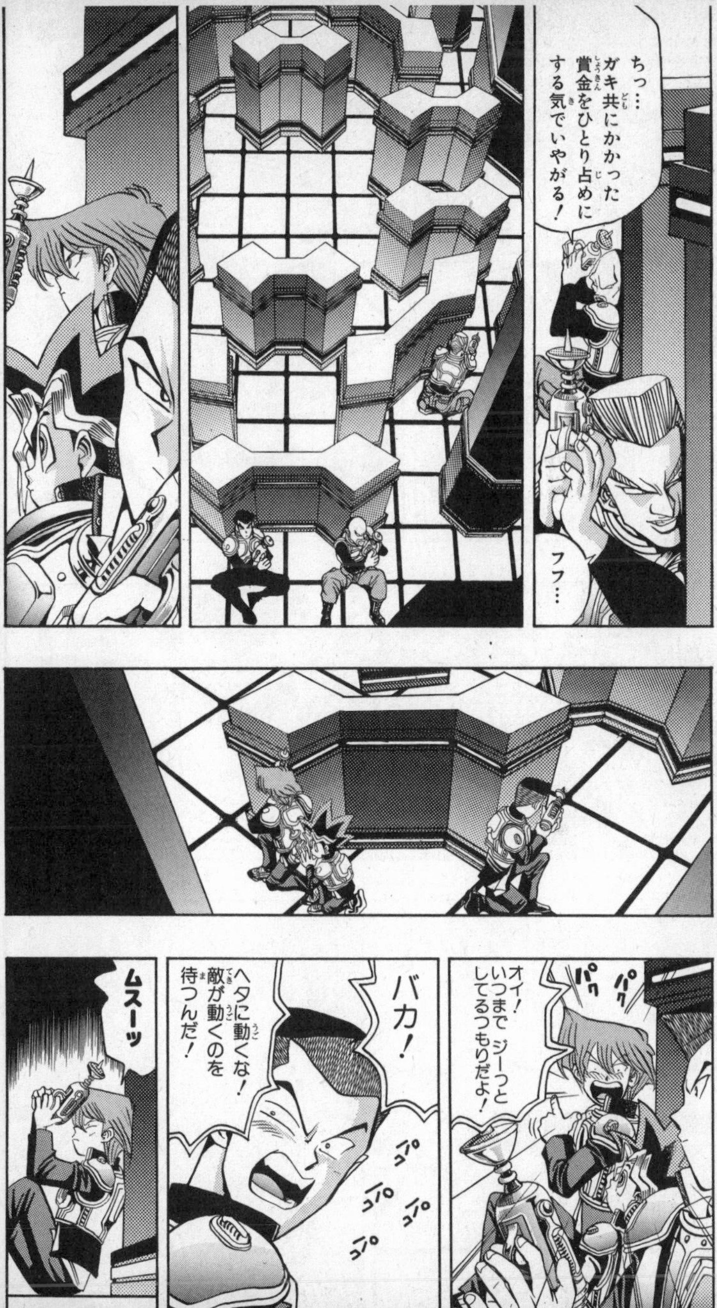

ちっ…
ガキ共《ども》にかかった
賞金《しょうきん》をひとり占《じ》めに
する気《き》でいやがる!
フフ…
パク
パク
オイ!
いつまで ジーっと
してるつもりだよ!
バカ!
ヘタに動《うご》くな!
敵《てき》が動《うご》くのを
待《ま》つんだ!
コソ
コソ
コソ
コソ
ムスーッ

こんな せまく入《い》りくんだ場所《ばしょ》では自分《じぶん》に有利《ゆうり》な場所《ばしょ》を確保《かくほ》しながら戦《たたか》う！
サバイバルテクニックってやつよ！
ボクも本田《ほんだ》くんの作戦《さくせん》には賛成《さんせい》だ！
こーしてればきっと敵《てき》は近《ちか》づいてくる！
オレはゴメンだぜ！こんなジっとしてるセコセコ戦法《せんぽう》はよー！
男《おとこ》なら玉砕《ぎょくさい》つきゃねーぜ!!
もーガマンできねー!!
あ！
城之内《じょうのうち》くん!!
ダッ
こーすりゃせまくないぜー!!

いくぜー!
城《じょう》之《の》内《うち》くん!!
あのバカ!!
え…!?

一匹《いっぴき》見《み》っけ！
WHAT《なに〜〜〜》!!??
オレの奇襲《きしゅう》をさらに上回《うわまわ》る奇襲戦法《きしゅうせんぽう》!!!
へへ！
だが銃《ガン》の腕《うで》ならごちとらプロだ！
一瞬《いっしゅん》で息《いき》の根《ね》を止《と》めてやるぜ！
死《し》ね!!
ドカ
うぐ…

OH《オー》…カミカゼBOY《ボーイ》…
やっぱこっちの方《ほう》がてっとり早《ばや》いぜ!
やったー!
……あのバカ……
一人《ひとり》片《かた》づけちまいやがった…
!!
まさか! ジョニーがやられた!!
くそっ!!
うわっっっっヤベっ…!!
でぇぇぇぇぇ~
よし! 敵《てき》が姿《すがた》を現《あらわ》したぜ!
城之内《じょうのうち》! そのままオトリになってくれ!

オレが仕《し》止《と》める!!
照準《しょうじゅん》は定《さだ》まった!
今《いま》だ!
あれ…!?
おかしい…
たしかに命中《めいちゅう》したハズなのによ…
城之内《じょうのうち》くん大丈夫《だいじょうぶ》!
おーへーきへーき!
こっちも応戦《おうせん》だー!
くっ…
くっ…

痛《つ》っ…
こ…これは!? 電流《でんりゅう》が 走《はし》りやがった…
ちっ やべぇ!
奴《やつ》ら どんどん 攻《せ》めてきやがる
くそっ
くそ…なんか全然《ぜんぜん》 当《あ》たらない!
遊戯《ゆうぎ》! 城之内《じょうのうち》!
ここはひとまず 引《ひ》きあげだ!
え…? 逃《に》げんのかよ
このゲーム 何《なに》か裏《うら》が ありそーだ!!
スゴーイ! 一人《ひとり》倒《たお》したから 遊戯達《ゆうぎたち》が 優勢《ゆうせい》ねー!
ムフフフ…

ねえ
杏子《あんず》ちゃん!
あんな連中《れんちゅう》ほっといて二人《ふたり》でパーク内《ない》をデートしないかい?
え〜〜〜〜!?
?
ボクの名《な》かい
ジョージってんだ!
なんておませな子《こ》かな〜〜〜〜
そーいえば君《きみ》の名前《なまえ》は?
そんなことよりパーク内《ない》にシャレたミルクスタンドを見《み》つけたんだ…
どう?一緒《いっしょ》に…
ガバッ
おい本田《ほんだ》!どーして逃《に》げんだよ!敵前逃亡《てきぜんとうぼう》なんざカッコ悪《わる》いじゃねーか!!
あ!
ダメよみんなーゲーム中《ちゅう》に抜《ぬ》け出《だ》してきちゃあ——!
どうしたの本田《ほんだ》くん?
遊戯《ゆうぎ》…
これはゲームなんかじゃねえ!
え…!?

オレ達《たち》の銃《ガン》は役《やく》にたたない！
このゲームでオレ達《たち》が奴《やつ》らに勝《か》つ手段《しゅだん》はねえってことだ!!
なんだと!!
海馬《かいば》め！卑怯《ひきょう》な手《て》使《つか》いやがって!!
うぬぬ～
お前《まえ》ら！杏子《あんず》ちゃんとの二人《ふたり》きりのひとときをジャマするわ――
海馬《かいば》さまの悪口《わるぐち》をゆうわー
許《ゆる》さないぞ――!!
ビョン☆
ビョン☆
うわっ

こ…これは!!
予備《よび》のベストの標的《ひょうてき》に光線《こうせん》が当《あ》たったとたん高圧電流《こうあつでんりゅう》が走《はし》った!!
もし…これがボクらの身《み》につけてるベストだったら…
ジョージその銃《じゅう》を貸《か》せ!
あ!
やっぱり!
杏子《あんず》の持《も》ってた銃《ガン》と オレ達《たち》の銃《ガン》は形《かたち》は同《おな》じだがつくりが全《まった》く違《ちが》うぞ!

くそ! あの傭兵《ようへい》どももこの銃《ガン》を持《も》ってやがるんだ!
この殺人銃《さつじんガン》を!
海馬《かいば》はアルバイトとはいえ知《し》らずに雇《やと》った杏子《あんず》にも その銃《ガン》を持《も》たせてたワケかよ
あたしここのバイトやめたわ!
海馬《かいば》め! こんな卑劣《ひれつ》な殺人《さつじん》ゲームを…
これが「死《し》」のテーマパークってことなのか…
だが奴《やつ》らに対抗《たいこう》できる銃《ガン》が一丁《いっちょう》だけ手《て》に入《はい》ったってことだ!
これは海馬《かいば》にとっては予定外《よていがい》のハズだ!
敵《てき》は残《のこ》り二人《ふたり》とはいえプロの傭兵《ようへい》だよ
銃一丁《ガンいっちょう》でどうやって……
またオレが奇襲《きしゅう》をかけるか!
アホ! あんな戦法《せんぽう》が二度通用《どつうよう》するかー!
一度めだってキセキだったの
お前《まえ》ら さっきから聞《き》いてればボクの尊敬《そんけい》する海馬《かいば》さまの悪口《わるぐち》ばかりいってー!
お前《まえ》らを銃《ガン》で仕止《しと》めてやりたいよ!
!
ブスー

ここはオレにまかせな！
ム！
お！一人《ひとり》ゲームに舞《ま》い戻《もど》ってきたぜ！
まだゲームを続《つづ》ける気《き》か
フフ おもしろい…

こっちは二人《ふたり》！お前《まえ》一人《ひとり》じゃたちうちできねーよ！
ン‼
ワハハハハー
結局《けっきょく》降参《こうさん》するだぁー腰抜《こしぬ》け野郎《やろう》がー！
だが残念《ざんねん》だな…
オレ達《たち》は海馬《かいば》BOY《ボーイ》からお前《まえ》らの息《いき》の根《ね》を止《と》めろと命令《めいれい》されている
覚悟《かくご》するんだな！フフフ…

今《いま》から処刑《しょけい》ゲームを再開《さいかい》するぜ！
ウシシ…
今《いま》だ!!
受《う》け取《と》れヒロト!!
ハハハハー
死《し》ね!!

ぐわあああああ〜
西部劇《せいぶげき》じゃ口数《くちかず》が少《すく》ねえのが主役《ヒーロー》の条件《じょうけん》だぜ！
安心《あんしん》しな！銃《ガン》の電圧設定《でんあつせってい》を下《さ》げておいた…死《し》にゃあしねーよ！

やったぜ!
本田《ほんだ》くん!!
おい ヒロト!
手《て》え貸《か》して やったんだから 約束《やくそく》は 守《まも》ってもらうぞ!
……
え〰 なんであたしが その子と一緒《いっしょ》に お風呂《ふろ》に入《はい》る約束《やくそく》 しなくちゃいけないのよ――!
杏子《あんず》 このとおり!
おーし 次《つぎ》いくぜー!
イヤよ!
たのむ!
うん!
ほ〰〰 DEATH-T-1《デス ティー ワン》を 乗《の》り越《こ》えるとはな…
だが 次《つぎ》のステージは どうかな…
遊戯《ゆうぎ》……

遊闘《バトル》30　声《こえ》を出《だ》すな!!

よっしゃあ!!
次《つぎ》いくぜー!
最初《さいしょ》のシューティング・ゲームは軽《かる》〜くクリアよ!
まウォーミング・アップにはちょうどよかったぜ!
な遊戯《ゆうぎ》!
でもさっきのゲーム思《おも》い出《だ》しただけでもゾーッとするよ!
海馬《かいば》くんはまた危険《きけん》なゲームを仕掛《しか》けてくるに違《ちが》いないよ!
遊戯《ゆうぎ》のいうとおり気《き》は抜《ぬ》けねーぜ!
この先《さき》に次《つぎ》のアトラクションが待《ま》ちかまえてるハズなんだからよ!

それよりさー
なんであたしがこの子《こ》ダッコしてかなきゃならないわけー！
スマン杏子《あんず》！
ジョージの奴《やつ》杏子《あんず》じゃなきゃイヤだってダダこねやがんのよ！
まったく～～も～～～～！
ムフフフ…
………
杏子《あんず》ちゃん♡
とにかく！
どんな難関《なんかん》が待《ま》ち受《う》けてよーがオレ達《たち》は前進《ぜんしん》あるのみだぜ!!
うん
オウ！
いくぜー！

フフ
バカめ!
DEATH-T-1《デスティーワン》を攻略《こうりゃく》したくらいで得意《とくい》になっているわ!
次《つぎ》のアトラクションがどれほど危険《きけん》なものかも知《し》らずに…
まあ思《おも》ったより多少《たしょう》は倒《たお》しがいってもんを感《かん》じてきたよ!
遊戯《やつ》のために巨費《きょひ》を投《とう》じてこのテーマパークを築《きず》きあげたんだ…存分《ぞんぶん》に楽《たの》しませてもらわなきゃ採算《さいさん》が合《あ》わないからな
遊戯達《ゆうぎたち》がDEATH-T-1《デスティーワン》「スペース・ゾーン」を抜《ぬ》けます
5秒後《びょうご》にNEXT《ネクスト》ゾーンへ進入《しんにゅう》します!
フフ…
ーだが
DEATH-T-2《デスティーツー》「ホラー・ゾーン」では生《い》き残《のこ》れるかな?
フフ
!!

こ…ここからが
DEATH-T 2
DEATH《デス》-T《ティー》-2《ツー》!!!
……
コワい…
さっきまでとはガラリと変《か》わって不気味《ぶきみ》な雰囲気《ふんいき》だね!
ああ…ちっとばかり背中《せなか》のあたりが寒《さむ》くなってきたぜ!

とにかく先《さき》に進《すす》もう！
うん！
杏子《あんず》！先行《さきい》けよ！
も〜〜さっきの元気《げんき》はどーしたのよ！
オ…オレは…
こーゆーのが一番《ばん》苦手《にがて》なんだぜチクショー！
ようこそお〜〜〜ホラー・ゾーンへ〜〜〜
ヒッ
フフフフフフフ…
ドロドロ
おやおやお客《きゃく》さん…
この程度《ていど》で悲鳴《ひめい》をあげるようじゃこの先《さき》命《いのち》がいくつあっても足《た》りませんぞ〜フフフ…
バ…バカヤロ
いきなりうしろから現《あらわ》れやがって〜！
さあて これより私《わたくし》めが次《つぎ》のアトラクションの案内《あんない》をさせて頂《いただ》きます…
ついてきてください…
あの人《ひと》！海馬邸《かいばてい》にいた執事《しつじ》だよ！
あ ホントだ！

オホン…… さて……
みなさん これを ご覧下《らんくだ》さい
ン!!
なんだ!? この奇妙《きみょう》な 乗《の》り物《もの》は!!!
みなさまには これより こちらの ライド型《がた》アトラクションを 楽《たの》しんで頂《いただ》きながら ある場所《ばしょ》へと むかってもらいます!
こ…こいつに 乗《の》るのか~~!!
お化《ば》け 屋敷《やしき》だ~~!!
ある場所《ばしょ》って どこに 連《つ》れてくのさ!
それは お乗《の》りになれば わかります…
しかたねー こいつに乗《の》らねーと 先《さき》に進《すす》めねー よーだ!
杏子《あんず》ちゃんの ヒザの上《うえ》に 乗《の》る——!!

みなさん
お乗《の》りになりましたね！
神《かみ》サマ…
このシート固《かた》いわね〜〜〜
ボクのシートはやわらかやわらか——！
フフ…
え
キャー——
なんだー!!?
頭《あたま》と腕《うで》が拘束《こうそく》されたー!!
身動《みうご》きがとれない!!

おい!!
てめー!
オレ達《たち》を どーする気《き》だ ——!!
ホホホ
「死《し》」のゲームの始《はじ》まりですよ みなさん……
死《し》のゲーム!!
まずは この乗《の》り物《もの》の むかう場所《ばしょ》を お教《おし》えしましょう…
それは「殺人《マーダーズ》の館《マンション》」…
「死《し》」のテーマパークならではの趣向《しゅこう》を凝《こ》らした恐怖《きょうふ》のアトラクションとなっております
「殺人《マーダーズ》の館《マンション》」!!
さて…みなさまには「殺人《マーダーズ》の館《マンション》」にたどり着《つ》くまでのひとときをミニゲーム・「死《し》の電気椅子《でんきいす》ライド」でお楽《たの》しみ頂《いただ》きます
運《うん》が悪《わる》いと このミニゲームで 死《し》のエンディングを むかえることになるかも 知《し》れませんがねえ…ヒヒヒ
「死《し》の電気椅子《でんきいす》ライド」だとー!!

では ゲームのルールを説明《せつめい》させて頂《いただ》きましょうか…
ご承知《しょうち》のとおり みなさまが 腰《こし》かけて らっしゃるのは 「電気椅子《でんきいす》」で ございます…
これまで 数知《かずし》れぬ囚人《しゅうじん》を 昇天《しょうてん》させた なかなか由緒《ゆいしょ》ある 品々《しなじな》でございます…
ゴゴ
これより「電気椅子《でんきいす》ライド」で 暗闇《くらやみ》へと進《すす》むワケですが――
途中《とちゅう》みなさまは どんな恐怖《きょうふ》に遭遇《そうぐう》しようと 声《こえ》をあげてはなりませぬ!
もし 声《こえ》をあげて しまったら……
センサーが その人《ひと》の声《こえ》を感知《かんち》し その人《ひと》の椅子《いす》に 百万《ひゃくまん》ボルトの電流《でんりゅう》を 流《なが》す仕組《しく》みに なっているのです!!
ボイス・センサー
な… なんだと!!
百万《ひゃくまん》ボルト!!
「死《し》」の電気椅子《でんきいす》ライド!!
海馬《かいば》め! なんて恐《おそ》ろしいアトラクションをつくり出《だ》すんだ!!
おい みんなー! どんなことがあっても声《こえ》を 出《だ》すんじゃねーぞ!

お前《まえ》が一番《ばん》心配《しんぱい》なんだよ！
や…やっぱし…
わ～～ん家《いえ》に帰《かえ》りたいよ―――!!
杏子《あんず》…
杏子《あんず》ゴメンよ…
ボクのせいでこんな危険《きけん》な目《め》に会《あ》わせて…
遊戯《ゆうぎ》…
安心《あんしん》してねー
ボクが杏子《あんず》ちゃんを守《まも》ったげる――！
こーゆーアトラクションは女《おんな》の子のハートをゲットする絶好《ぜっこう》のチャンスだもんね
ケケ…
さあて私《わたくし》めも案内役《あんないやく》を兼《か》ねてこのゲームに参加《さんか》させて頂《いただ》きますぞ!!
もちろん私《わたくし》が声《こえ》をあげても電流《でんりゅう》は流《なが》れます！
みなさまとまったく同《おな》じ条件《じょうけん》ですぞ――！
さて心《こころ》の準備《じゅんび》はできましたか！

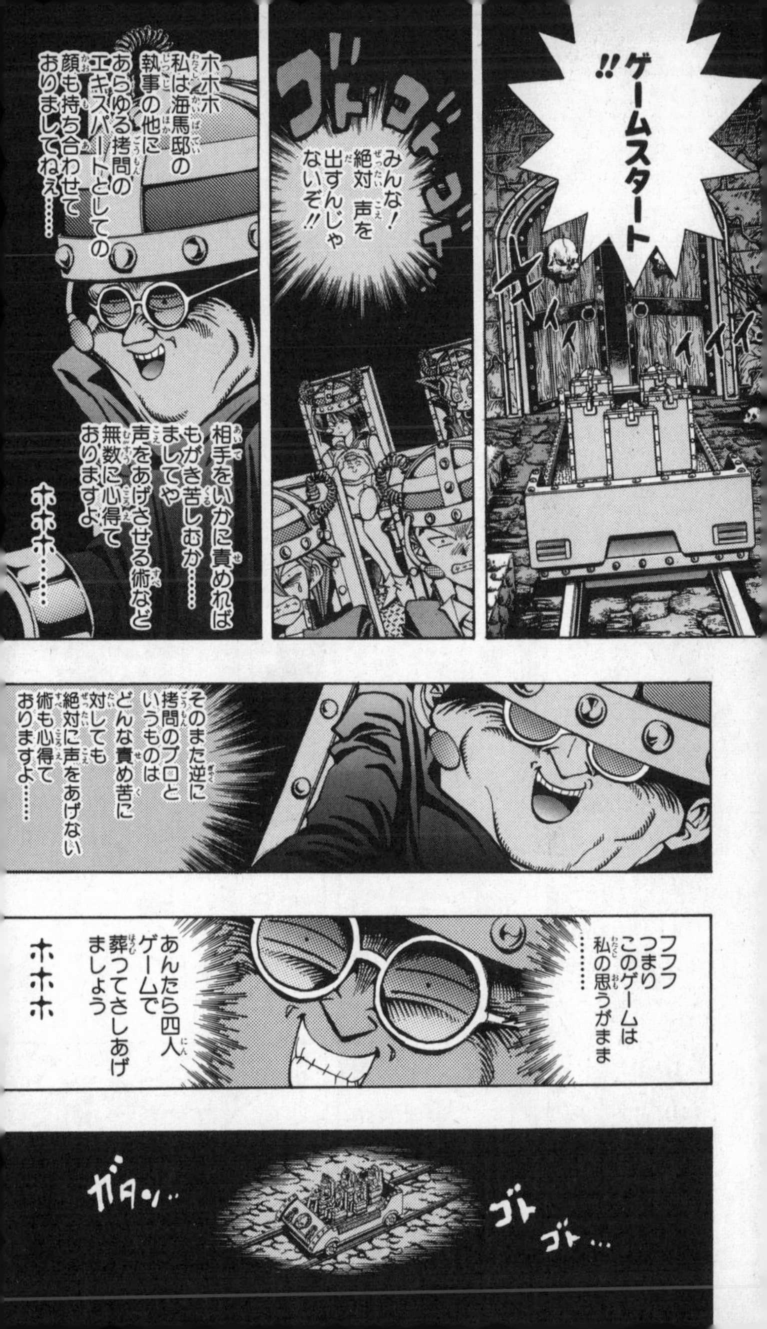
ゲームスタート!!
ギイイ
イイイ
ゴト ゴト ゴト
みんな! 絶対《ぜったい》声《こえ》を出《だ》すんじゃないぞ!!
ホホホ 私《わたくし》は海馬邸《かいばてい》の執事《しつじ》の他《ほか》にあらゆる拷問《ごうもん》のエキスパートとしての顔《かお》も持《も》ち合《あ》わせておりましてねぇ……
相手《あいて》をいかに責《せ》めればもがき苦《くる》しむか……ましてや声《こえ》をあげさせる術《すべ》など無数《むすう》に心得《こころえ》ておりますよ
ホホホ……
そのまた逆《ぎゃく》に拷問《ごうもん》のプロというものはどんな責《せ》め苦《く》に対《たい》しても絶対《ぜったい》に声《こえ》をあげない術《すべ》も心得《こころえ》ておりますよ……
フフフ つまりこのゲームは私《わたくし》の思《おも》うがまま……
あんたら四人《にん》ゲームで葬《ほうむ》ってさしあげましょう
ホホホ
ゴト ゴト…
ガタン…

ゴトン・・
△×△○～
○※□△～
ゴトン
ゴトン
×○△×△
△※～～!
ゴトン
ホホホ…
まずは最初《さいしょ》の恐怖《きょうふ》を味《あじ》わって下《くだ》さい

△×○△
※×○△〜
ドキーン☆
ドクン
△×□○△○△○〜!!
ホホホ――
恐怖《きょうふ》にわめけ
泣《な》き叫《さけ》べー!

ホ〜〜
この程度《ていど》の
恐怖《きょうふ》では声《こえ》を
あげませんか……
それならば
………
○×○〜〜
○○○○○〜!

これならどうだ!!
ピッ☆
や~~ん…!
く……
さらに…
どうだ!ウヒヒ
声《こえ》をあげろー
ハァ
もうダメ…声《こえ》が出《で》ちゃう…
杏子《あんず》!!
ダメだ声《こえ》をあげちゃ!!

もう ダメ……
あン…
杏子《あんず》ちゃん!!
クソーッ 他《ほか》の三人《にん》は 黒《くろ》コゲになって 死《し》んだって かまわない けど…
杏子《あんず》ちゃんは ボクが 助《たす》ける!!
パン
ここが 男《おとこ》の見《み》せどころ だい!!
あ ジョージ!!
そうか… こいつだけは 身動《みうご》きができるんだ!
ここは こいつに 頼《たよ》るしか なさそうだ!
さらに 苦《くる》しめてやるー 声《こえ》を あげさせて やるーー!
ワハハーー
とっておきの 作戦《さくせん》だい!!

とどめじゃーー!!
ン…
な…!!
いつの間《ま》に私《わたくし》のヒザに子供《こども》が…!
なんなんだ…!?
地獄《じごく》に落《お》ちなベイビー!
ム…
ヒザになにやら生温《なまあたたか》いものが…
こ…この臭《にお》いは……!
まさかぁぁ〜

バリッ
ウ…
うげえええ!!!
ギャアアアア
ホレた女《おんな》は
命《いのち》をかけて守《まも》るぜ
ベイビー!
ニヤッ
エヘヘ
杏子《あんず》ちゃん
もう大丈夫《だいじょうぶ》だよ!
ビックリだ!
一人《ひとり》で執事《しつじ》を
やっつけ
ちゃった…!
ジョージ…
すごい奴《やつ》だぜ!

ゴゴトン…
フ―
なんとかゴールまでたどり着《つ》いたようだ!
声《こえ》を出《だ》しても大丈夫《だいじょうぶ》だぞ!
遊戯《ゆうぎ》!
杏子《あんず》大丈夫《だいじょうぶ》か!
うん
ええ
城之内《じょうのうち》…
!!
こいつ気絶《きぜつ》してやがる!
―まそのおかげで助《たす》かったワケだ…!
う…う〜ん
まったくどいつもこいつもだらしない連中《れんちゅう》ばかりだよなー!
……
ねー杏子《あんず》ちゃん♡
ギャアアアア
城之内《じょうのうち》くん…もうゲームは終《お》わったよ…

ン…!
これが…
次《つぎ》のアトラクションだよ!
もうイヤ…
フフ……
さあ入《はい》るがいい
DEATH《デス》-T《ティー》-2《ツー》
「殺人《マーダーズ》の館《マンション》」に……

遊闘《バトル》31　殺人《マーダーズ》の館《マンション》

ゴゴゴゴ
これが「殺人の館《マーダーズマンション》」!!
不気味《ぶきみ》だぜー!
これが次《つぎ》のアトラクション!!
海馬《かいば》め…どんな恐《おそ》ろしい罠《わな》をはりめぐらせているんだ!
ドン
!

ドクン
ドクン
ドクン!!
なんだろう…!!
なにかがボクの胸《むね》に響《ひび》いてくる…!!
ドクン
はっ!
ドクン
ドクン
カードだ!
ドクン
じーちゃんのカードから鼓動《こどう》が伝《つた》わってくる!!
じーちゃん…
ドクン
遊戯《ゆうぎ》!どうした!
何《なに》かあったの?

このカードが教《おし》えてくれてるんだ…!
じーちゃんが危険《きけん》な状態《じょうたい》だって!
!!
なんだって!
じーちゃん待《ま》ってて!!
ドクン
じーちゃんの「魂《たましい》のカード」で必《かなら》ず海馬《かいば》を倒《たお》すから!!
くそーー こうしちゃいられねえ!
急《いそ》ごう!!
いくぞ遊戯《ゆうぎ》!!
早《はや》いとこ このアトラクションもクリアしちまおうぜ!
よし 入《はい》るぜ! みんなー!

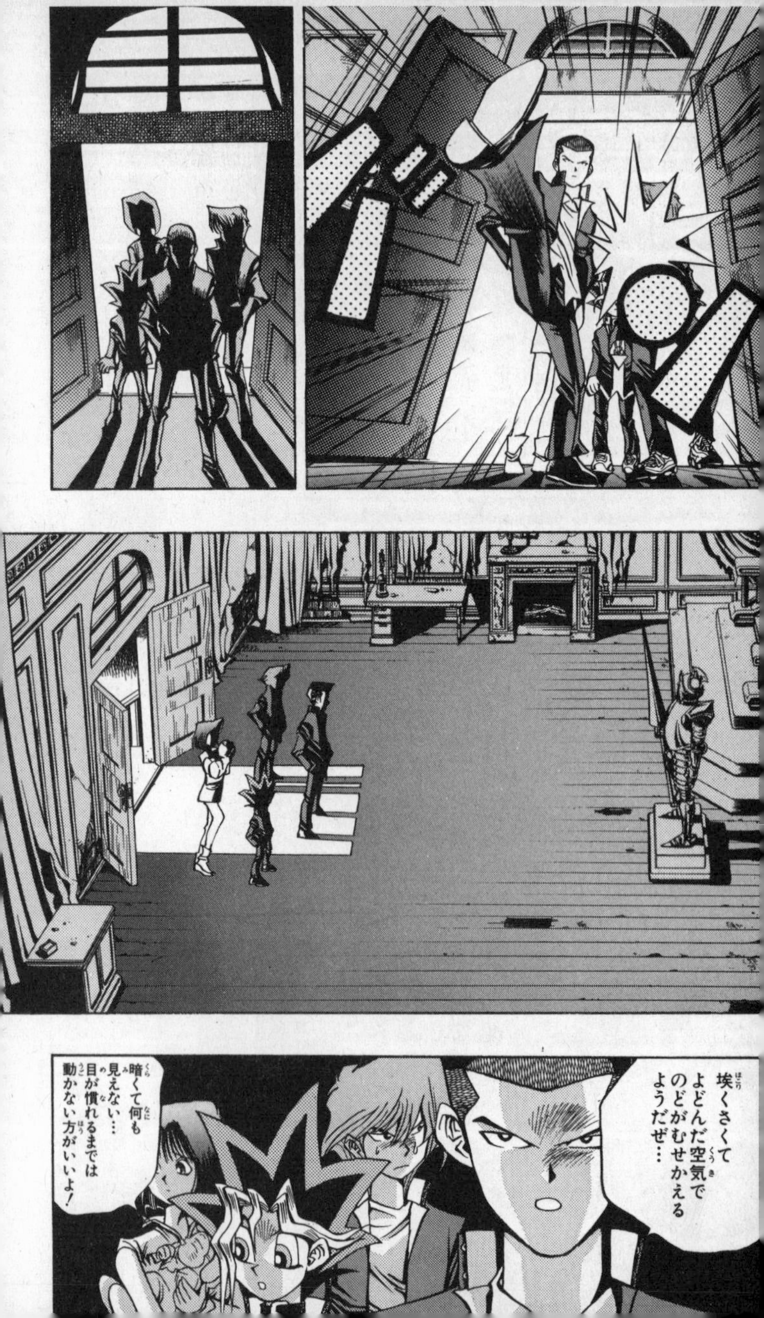
埃《ほこり》くさくて よどんだ空気《くうき》で のどがむせかえる ようだぜ…
暗《くら》くて何《なに》も 見《み》えない… 目《め》が慣《な》れるまでは 動《うご》かない方《ほう》がいいよ!

!
扉《とびら》が勝手《かって》に!!
あ——鍵《かぎ》がかかっちゃった——!
閉《と》じこめられたのかよー!
開《あ》かないわ!
くそ!
開《あ》かねー!
誰《だれ》かハリガネみてーなもん持《も》ってねえか?
先《さき》の尖《とが》ったもんがあればこいつを開《あ》けられるんだが…
城之内《じょうのうち》…あんたへんな特技《とくぎ》持《も》ってるわね……
おい城之内《じょうのうち》入《はい》ってきた扉《とびら》を開《あ》けてどーすんだ!アホ!
出口《でぐち》を探《さが》すんだよ!出口《でぐち》!
く…こんがきゃあっ
ジョージのいうとおりだ先《さき》に進《すす》むには出口《でぐち》を探《さが》さねーとな!
みんなで手分《てわ》けして出口《でぐち》を探《さが》そう!

blood
……ン！
blood
なんだろう この紙《かみ》キレ… 文字《もじ》が書《か》いてあるぞ…
ブラッド…!?
blood
「血《ち》」っていう意味《いみ》だけど… 一体《いったい》なんのことかな…？
不吉《ふきつ》だな～…
おい おかしいぜ！ この館《やかた》には出口《でぐち》がないぜ！
一応《いちおう》二階《かい》も調《しら》べてみよう！
ン！
なんだ！ 階段《かいだん》の上《うえ》がふさがれてるぞ！
二階《かい》はないのか!!

フフ…
海馬《かいば》!!
みなさん「殺人の館《マーダーズマンション》」へようこそ!
宙《ちゅう》に浮《う》いてやがる!
この海馬《かいば》の姿《すがた》はホログラフィー映像《えいぞう》だよ!
!!
さっきからこの館《やかた》の出口《でぐち》を探《さが》してるようだが見《み》つかったかい?
早《はや》く出口《でぐち》を見《み》つけて ここから脱出《だっしゅつ》しないと大変《たいへん》なことになるよ!

ここがなぜ「殺人の館《マーダーズマンション》」と呼《よ》ばれるかを説明《せつめい》しよう…
昨年《さくねん》の夏《なつ》 童実野《どみの》の湖《みずうみ》のほとりにある キャンプ場《じょう》で起《お》きた 事件《じけん》を覚《おぼ》えているかい？
あまりに むごたらしい惨劇《さんげき》に 童実野《どみの》の住民《じゅうみん》は みな震《ふる》えあがった…
キャンプ場《じょう》を 訪《おとず》れたボーイスカウトの 少年《しょうねん》十人《にん》が 一夜《いちや》の間《あいだ》に何者《なにもの》かに 惨殺《ざんさつ》された…
たとえ どんなに パズルの名人《めいじん》だろーが あの肉片《にくへん》のパーツを組《く》み 合《あ》わせ 元《もと》の人間《にんげん》の形《かたち》に するのは不可能《ふかのう》なほど…
少年達《しょうねんたち》は・・・ 切《き》り刻《きざ》まれていた！
それ以来《いらい》 犯人《はんにん》は「切り刻む男《チョップマン》」と 呼《よ》ばれるように なるが…
まだ 行方《ゆくえ》がわからない でいる…
ゴクリ…
フフフフ… もう おわかりだろう…
「チョップマン」は この館《やかた》にひそんでいる
!!
海馬《かいば》コーポレーションでは 残酷《ざんこく》な心《こころ》を持《も》つ者《もの》が 有能《ゆうのう》な人材《じんざい》と なるからね…
「死《し》」のテーマパークの アトラクションの 責任者《せきにんしゃ》として 我社《わがしゃ》に 迎《むか》え入《い》れたよ！
フフフ…

さあて!
君達《きみたち》は「チョップマン」に遭遇《そうぐう》せずにこの館《やかた》を脱出《だっしゅつ》できるかな?
ハハハハハ
くっ…
だがこれだけではゲームとしてはフェアといえないからね…
この館《やかた》の出口《でぐち》を見《み》つけ出《だ》すための鍵《ヒント》となるものをお教《おし》えしよう!
君達《きみたち》のうしろの壁《かべ》をごらんよ…
!!
00
01
10
11
なんだ!?!?壁《かべ》に四つの穴《あな》があいてるぞ!!

それぞれの穴《あな》の上《うえ》に数字《すうじ》が書《か》かれてる！
…00・01・10・11…!?!?!?
その穴《あな》の奥《おく》にスイッチがある
正《ただ》しいスイッチを押《お》せば出口《でぐち》の場所《ばしょ》を指示《しじ》してくれるハズだ！
さあ！勇気《ゆうき》を出《だ》してその穴《あな》に手《て》を入《い》れてごらんよ！
く…
これは罠《わな》だ!!何《なに》か仕掛《しか》けがあるに違《ちが》いない！
なんだ…遊戯《ゆうぎ》…ずいぶんうたぐり深《ぶか》い目《め》をして……
クスクス
正《ただ》しいスイッチを押《お》さない限《かぎ》り出口《でぐち》を見《み》つけ出《だ》す手段《しゅだん》はないのだよ！
くそ…
手《て》を入《い》れるしかないようだ…
ああ…あれだけ探《さが》して見《み》つからなかったからは…

ガシャーン☆
な・・・
パ!!
腕《うで》がロックされた!!
キャー
これは・・・!!

ギロチン!!
ズ
ズ
ズ
ハハハ さあゲーム 開始《かいし》だ！
四つのスイッチのうち 正解《せいかい》は一《ひと》つだけ！ 間違《まちが》ったスイッチを 押《お》したら巨大《きょだい》な 刃《は》が落《お》ちてきて お前《まえ》らの手《て》を 切《き》り落《お》とす！
時間《じかん》は五分《ふん》！ それを過《す》ぎても 刃《は》は落《お》ちる！
いいな！ スイッチは一度《ど》きり 一《ひと》つしか押《お》せないぞ！
10
11
く… くそー！
フフ… ヒントは この部屋《へや》に 隠《かく》されている…
健闘《けんとう》を 祈《いの》るぞ！

海馬《かいば》め!!
さあて これは 難問《なんもん》だぜ…
どのスイッチが 正《ただ》しいのか…
もうイヤ〜〜 次《つぎ》から次《つぎ》へと 何《なん》なのよ もぉーーー!
00
01
10
まず この数字《すうじ》に 何《なに》か意味《いみ》が あるハズだよ!
00・01 10・11…
これって 1と0しかないわ…
ホラ… コンピュータとかの 電気信号《でんきしんごう》みたいに ………
あ〜〜〜 わかんね〜〜!
海馬《かいば》の野郎《やろう》 この部屋《へや》に ヒントがあると ぬかしてやがったなー
あ…
さっきの 紙《かみ》キレ!
ブラッド…
blood

………
ブラッド…血《ち》…!?
なんだこれ!?
不吉《ふきつ》な文字《もじ》だぜ…
さっき部屋《へや》で見《み》つけた紙《かみ》キレなんだ
それ絶対《ぜったい》アヤしいよー
くそー ワケのわかんねー数字《すうじ》とか文字《もじ》だとか…こーゆう謎解《なぞと》きはニガ手《て》だぜ!
この謎《なぞ》を解《と》けるのは遊戯《ゆうぎ》しかいないわ!
ホラ!千年《せんねん》パズルを解《と》いたんだもの!がんばって!
うん…
blood
ブラッド…
bl《ブラ》……
ン…!?

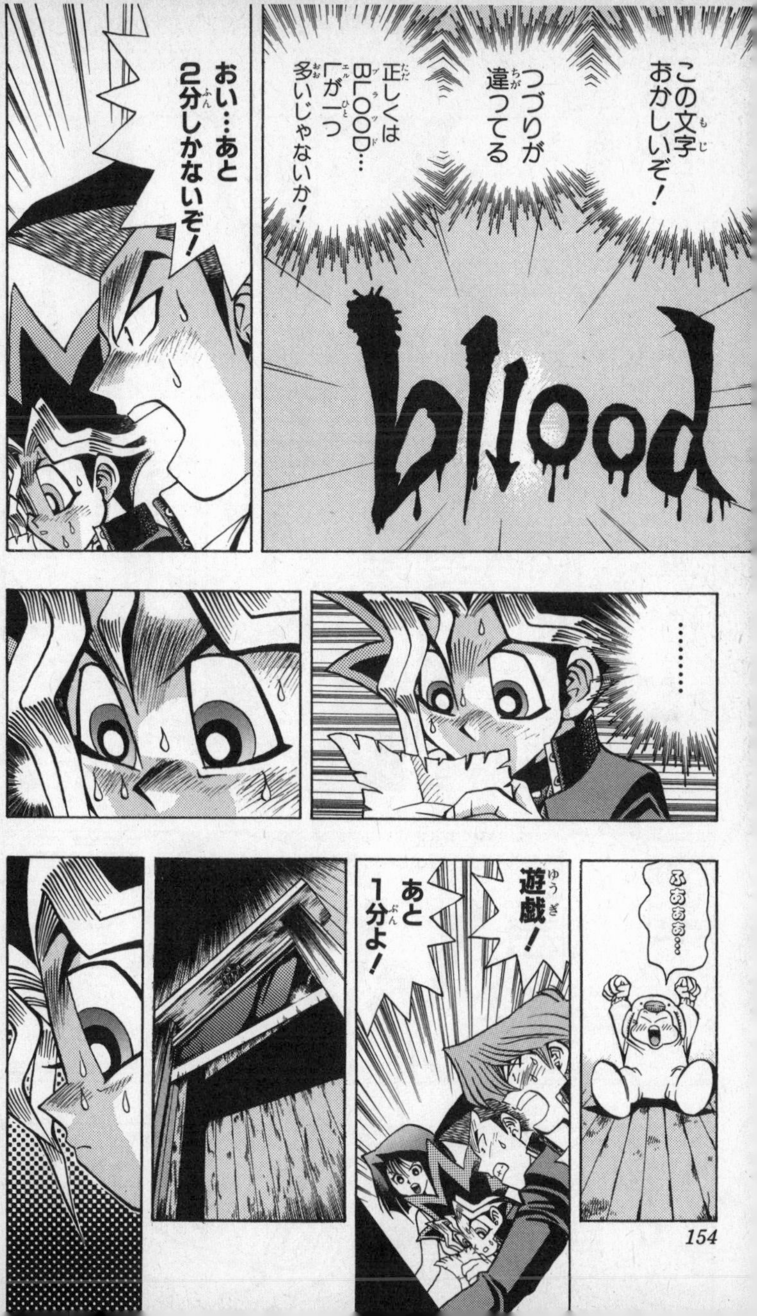
この文字《もじ》おかしいぞ！
つづりが違《ちが》ってる
正《ただ》しくはBLOOD《ブラッド》…L《エル》が一《ひと》つ多《おお》いじゃないか！
bllood
おい…あと2分《ふん》しかないぞ！
……
ふあああ…
遊戯《ゆうぎ》！
あと1分《ぷん》よ！

ダメだ…わからない…
くそ海馬《かいば》め…
じーちゃん…！
じーちゃんが待《ま》ってるんだ!!
遊戯《ゆうぎ》！もう時間《じかん》がない!!
そしてみんなを助《たす》けるんだ!!
時間切《じかんぎ》れだ!!
ギロチンの刃《は》が!!!

ハッ
そうか！
杏子《あんず》の11だ!!
杏子《あんず》のスイッチを押《お》すんだ!!
え…
……
わかったわ！

ガ!
〜〜〜
刃《は》が止《と》まった!
正解《せいかい》だ!!
ガチャ☆
やったー!!
でかしたー
遊戯《ゆうぎ》ー!!
フーーッ
どうして
正解《せいかい》が
わかったの?

ボク…このブラッドって文字《もじ》の意味《いみ》ばかりに気《き》をとられていたんだ！
でも肝心《かんじん》なのは形《かたち》だったんだ！
ホラ…“blood《ブラッド》”って文字《もじ》も0と1だけで作《つく》られた文字《もじ》だろ！
bllood
↓
l0ll000l
↓
10 11 00 01
ホラ…
この“blood《ブラッド》”の“l《エル》”の部分《ぶぶん》をよく見《み》ると…
bllood
下《した》に向《む》いた矢印《やじるし》になってるんだ！
これは出口《でぐち》が地下《ちか》にあることを示《しめ》してると思《おも》ったんだ！
だから正解《せいかい》は矢印《やじるし》の描《か》かれた11‼ 杏子《あんず》のスイッチさ！
ゴゴゴ
さすが遊戯《ゆうぎ》！
遊戯《ゆうぎ》のいうとおり床《ゆか》に出口《でぐち》が現《あらわ》れたぞ‼
EXIT

やったぜー
これで脱出《だっしゅつ》
できるぜー！
ド
オレは
退屈《たいくつ》だったぜ
……
ケッ
EXIT
ゴゴ
ゴゴ

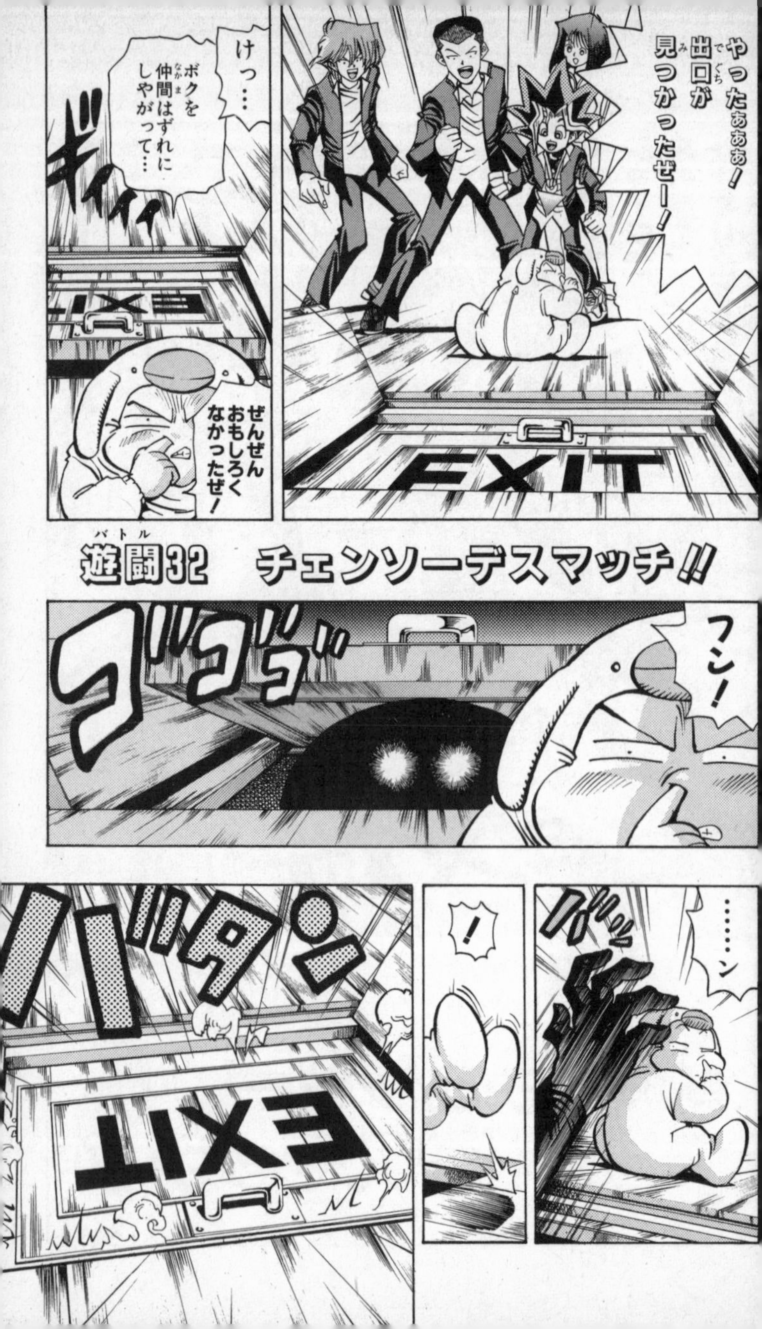
やったぁぁぁ!
出口《でぐち》が見《み》つかったぜー!
けっ…
ボクを仲間《なかま》はずれにしやがって…
ギイィィ
ぜんぜんおもしろくなかったぜ!
遊闘《バトル》32　チェンソーデスマッチ!!
フン!
ゴゴゴ
……ン
パッ
!
バタン

ジョージが…
ジョージが床《ゆか》の扉《とびら》にひきずり込《こ》まれた!!
EXIT
遊闘《バトル》32
チェンソーデスマッチ!!

海馬《かいば》がいってた殺人鬼《チョップマン》かもしれない!!
くそー
出口《でぐち》かと思《おも》ったら殺人鬼《さつじんき》の巣窟《そうくつ》の入《い》り口《ぐち》だったってワケかよ!!
EXIT
ちっ…むかつくほど生意気《なまいき》なクソガキだが…
助《たす》けないわけにはいかないぜ!
行《い》こう!
EXIT
お〜〜い助《たす》けてくれ〜〜〜
!
ジョージの声《こえ》だわ!
よし降《お》りるぞ!!
みんな気《き》をつけて!
海馬《かいば》は殺人鬼《さつじんき》を手《て》なずけて罠《わな》をはってるハズだからね!

あ…
あれ！
おーい こっちこっちー！
ジョージだ！
あの部屋《へや》の中《なか》にいる!!
みんなー
ボクはここだよーー！早《はや》く来《き》てくれーー！
カマ～ンベイビーー！
これはどー見《み》ても罠《わな》だぜ！
〜〜〜…
ボクもそー思《おも》う！
ジョージ！正直《しょうじき》に答《こた》えろ！
その部屋《へや》にはお前《まえ》以外《いがい》に誰《だれ》かいるのか!!
いないいない
誰《だれ》もいな～い
オレはあのガキを信用《しんよう》できねーー！
絶対《ぜったい》罠《わな》だぜーー！
早《はや》く助《たす》けておくれよ〜〜〜♡
可愛《かわい》い子《こ》ぶってやがる！
よけい信用《しんよう》できねーー！
あのガキンチョはオレ達《たち》を裏切《うらぎ》ることくらいは平気《へいき》でやりそーだからな！

チッ
ブシュルルル…
ダンナぁぁ…
奴《やつ》ら入《はい》って来《き》ませんぜ!
だ…誰《だれ》かに話《はな》しかけてるじゃねーか!!!
あいつ…すでに寝返《ねがえ》ってる…
ズズズ
ブシュルルル。
く…どうする
あの部屋《へや》には確実《かくじつ》に殺人鬼《チョップマン》が潜《ひそ》んでいるぜ!
ブォン☆
あ!
海馬《かいば》だ!!
暗闇《くらやみ》に海馬《かいば》の姿《すがた》が映《うつ》し出《だ》された!!

海馬《かいば》サマ〜♡
みなさん いかがかな…
海馬《かいば》ランドの「死《し》」のアトラクションを楽《たの》しんでもらえてるかい？
海馬《かいば》！ どこに隠《かく》れてんだか知《し》らねーけどよ！
度胸《どきょう》があんならオレらの前《まえ》に出《で》て来《き》てみやがれ！
フフ… ボクがゲームの中《なか》で一番《ばん》好《す》きなものはカードゲーム…
その次《つぎ》がチェスゲームでね…
君《きみ》らは「海馬《かいば》ランド」という巨大《きょだい》なチェス盤《ばん》の上《うえ》に並《なら》べられた「生《い》きた駒《こま》」のようなものさ！
ボクは上《うえ》から眺《なが》めながら君《きみ》らを追《お》いつめていく
このゲームを存分《ぞんぶん》に楽《たの》しませてもらっているよ！
！
さて次《つぎ》なるゲームだが…

この部屋《へや》の中《なか》の「殺人鬼《チョップマン》」とのゲームだ！
誰《だれ》か一人《ひとり》だけこの部屋《へや》に入《はい》って来《く》るがいい！
!!
殺人鬼《チョップマン》とのゲームだって!!
君《きみ》らはこのゲームを避《さ》けて通《とお》ることはできないハズだよ！
この子供《こども》の首《くび》をネジ切《き》られたくはあるまい？
!!
ウシュルルル〜
そいつ《チョップマン》はねボクの命令《めいれい》だけは従《したが》うんだ！
ボクが殺《や》れといえば終《お》わりだよ！
海馬《かいば》サマ〜ウソでしょ〜
そんなことするハズないよね〜〜〜〜！
海馬《かいば》その子《こ》に手《て》を出《だ》すな!!
さあゲームに名乗《なの》り出《で》る者《もの》は誰《だれ》かな？
助《たす》けてくれ〜〜〜〜〜!!

くそ！オレが…
待《ま》て本田《ほんだ》！
オレに行《い》かせろ！
城之内《じょうのうち》!!
あのガキンチョには今《いま》まで何度《なんど》か助《たす》けられちまったからな──！
クソ憎《にく》たらしいが借《か》りたモンはキッチリ返《かえ》さねえとな!!
ブシュブシュ…
フフ…
城之内《じょうのうち》の駒《こま》は詰《つ》んだも同然《とうぜん》だな！

城之内《じょうのうち》くん!
扉《とびら》が開《あ》かなくなっちまったー!!
!!
城之内《じょうのうち》〜!
来《き》てくれると信《しん》じてたぜー!
早《はや》く助《たす》けてくれ——!
おー 今行《いまい》くから おとなしくしてろ!
なんだ この床《ゆか》…
タールか……?
ベチョ
やけに ぬめりやがるぜ……!
おこらないでくれ〜〜〜!
こーしなきゃ 殺《ころ》されるんだ ボクちゃん!
海馬《かいば》サマに命令《めいれい》されてさ〜〜〜!
やっぱ お前《まえ》…
サイテーな ガキだぜ!

さあ
準備《じゅんび》はできた!!
ブシュルルル〜
くっ
化《ば》け物《もの》と
鎖《くさり》で
つながれてる!!
フフ…
紹介《しょうかい》しよう!
こいつが
チョップマンだ!
海馬《かいば》サマ〜
早《はや》く あいつを
切《き》り刻《きざ》ませて
くで〜〜
チョッピー
ガマンできねえ
〜〜〜
ゲームスタートの
合図《あいず》まで待《ま》て!
フ…
ヤバそーな
野郎《やろう》だぜ!!

ゲームのルールは簡単《かんたん》だ!
スタートの合図《あいず》とともに お互《たが》い好《す》きな武器《ぶき》をとりどちらかが死《し》ぬまで戦《たたか》うんだ!
武器《ぶき》は天井《てんじょう》につるしてある
真《ま》ン中《なか》の台座《だいざ》にのぼれば手《て》がとどく!
床《ゆか》のタールにすべらないように気をつけることだ!
く……
城之内《じょうのうち》~ヤバイぞ~~!
城之内《じょうのうち》!
ブミュルルル…
ゲヘヘ ブッ殺《ころ》してやる~~~~!
くそ…
なんとかこの手錠《てじょう》をはずさねえと……
ハリガネのようなものがあれば鍵《かぎ》がわりにはずせるんだが…!
ゲームスタート!!

グヘヘヘ…
さあて…どんな武器《ぶき》で切《き》り刻《きざ》んでやろうかな〜
こんなのとまともに殺《や》り合《あ》ったらヤバイぜ!
おい! 何《なに》か先《さき》の尖《とが》ったものはないか!
わかった 探《さが》して見《み》るよ
どれにするか… チョッピー悩むぅぅ〜
天井《てんじょう》にある武器《ぶき》じゃ役《やく》にたたねえ!!
く…
この手錠《てじょう》をはずさねえと本当《ほんとう》に切《き》り刻《きざ》まれ
だめだ! そんなもん見《み》つからない!!
城之内《じょうのうち》くん!
よ〜〜〜し これに決《き》めたあああ

こいつで切《き》り刻《きざ》んでやるぞ～～！
ドドド
うわあああああ
逃《に》げろ～～～城之内《じょうのうち》～～～！
ズルッ
くそ…タールで足《あし》がすべりやがる！
く…なんつーバカ力《ぢから》だ――!!
フン逃《に》がすか～～～！

真《ま》っ二《ぷた》つにじてやる〜〜〜！
城之内《じょうのうち》！
ガガガ
くっ…
う…ぐ…ぐそ…
ガガ
歯《は》がめりこんじまったあああ〜
城之内《じょうのうち》 今《いま》のうちに逃《に》げろ〜〜
アホ！ 鎖《くさり》でつながれてんだぞ！
野郎《やろう》のクソ力《ぢから》でひっぱられたら終《お》わりだぜ！
グへへ…
そのとおりだ〜〜
チョッピー 逃《に》がさないぞ〜〜!!

ガガ
ぐそ〜 抜《ぬ》けねえど〜
ちっ…
早《はや》く この手錠《てじょう》を はずさねえと…!
なにか… なにかないか! 城之内《じょうのうち》くん!
先《さき》の尖《とが》った もんがよー!
城之内《じょうのうち》くん…
このままじゃ 城之内《じょうのうち》くんは……!
城之内《じょうのうち》くん アレだ!!

え……
燭台《しょくだい》…!?
そうか……
ローソクをとれば先《さき》の尖《とが》った部分《ぶぶん》があるぜ──!
これで手錠《てじょう》をはずせる!!
城之内《じょうのうち》くん急《いそ》いで!
だが…手錠《てじょう》ははずせても…
この部屋の頑丈《がんじょう》な扉《とびら》を開《あ》けることはできない脱出《だっしゅつ》する方法《ほうほう》がないぜ……

城之内《じょうのうち》くん
ボクに考《かんが》えがある!!
ゴゴゴ
よし!
グワッハハハハ〜〜〜
チェンソーが抜《ぬ》けたぞー!!
!
グヘヘヘ〜〜
そんな部屋《へや》のスミっこにいても無駄《むだ》だど〜〜!
切《き》り刻《きざ》んでやるど〜!
こっちへ来《こ》〜い!!

バッキィ
エ…!?
なに…いつの間《ま》に手錠《てじょう》を…!!
扉《とびら》にくくりつけていただと……
燭台《しょくだい》とともに…!!
てめえのバカ力《ぢから》を利用《りよう》させてもらったぜ!
出口《でぐち》を開《あ》けてくれてありがとよ!

ヒ…
海馬《かいば》…
お前《まえ》とチョップマンとのコンビはよぉ
バカとバカ力《ぢから》…!
その火《ひ》と油《あぶら》のようにバツグンに相性《あいしょう》がよかったのに残念《ざんねん》だったな!
ギャアアアアア
さて…次《つぎ》行《い》こうか!
城之内《じょうのうち》ありがとよ!
ク…

ドクン
遊戯《ゆうぎ》…
ドクン
ガーッ
遊闘《バトル》33 正方形《せいほうけい》の恐怖《きょうふ》!!!
ショック性《せい》狭心症《きょうしんしょう》による呼吸困難《こきゅうこんなん》!
心拍数《しんぱくすう》・血圧上昇《けつあつじょうしょう》
患者《かんじゃ》は大変《たいへん》危険《きけん》な状況《じょうきょう》です!
遊戯《ゆうぎ》…
遊戯《ゆうぎ》…
ドクン
ドクン

ドクン
じいちゃん!
ドクン
ドクン
遊闘《バトル》33 正方形《せいほうけい》の恐怖《きょうふ》!!!

じーちゃん……
じーちゃんのカードから伝《つた》わる鼓動《こどう》がどんどん早《はや》くなってる……!!
じーちゃん!!
じーちゃんの命《いのち》を救《すく》うにはこの「魂《たましい》のカード」で海馬《かいば》を倒《たお》すしかないんだ!!
遊戯《ゆうぎ》
見《み》ろ! 次《つぎ》のアトラクションの入口《いりぐち》が見《み》えてきたぜ!
オレ達《たち》は一歩《いっぽ》ずつ海馬《かいば》の野郎《やろう》に近《ちか》づいてるぜ!
うん!
急《いそ》ごう!!

とうとうDEATH《デス》-T《ティー》-3《スリー》まで　たどり着《つ》いたか……
それにしても――
ここまでの経過《けいか》を見《み》て多少《たしょう》ボクにも反省点《はんせいてん》があるな…
やつらの仲間意識《なかまいしき》が意外《いがい》にもゲーム攻略《こうりゃく》の鍵《かぎ》となっている…
やつらの結束《けっそく》とやらを分断《ぶんだん》させる必要《ひつよう》があるな…
所詮《しょせん》仲間《なかま》の結束《けっそく》などまやかしにすぎない…
ちょっと困難《こんなん》な状況《じょうきょう》を与《あた》えてやれば我身《わがみ》かわいさに平気《へいき》で仲間《なかま》などうらぎるものさ！
DEATH《デス》-T《ティー》-3《スリー》でそれが証明《しょうめい》されるハズだ！フフフ…

DEATH T-3
ここがDEATH《デス》-T《ティー》-3《スリー》の入口《いりぐち》だ!!
ホラー・ゾーンの次《つぎ》はどんなアトラクションが待《ま》ちかまえてやがんだい!!
どーせ海馬《かいば》のつくったテーマパークだかんなー根暗《ねくら》で陰険《いんけん》なアトラクションだぜ!
いくぜ!!
こ…これは!
!!

なにもない！
なんにもねえまっ白《しろ》な部屋《へや》だ!!
ドーン☆
DEATH T-3
扉《とびら》が!!
ハイハイ！お決まりお決まりと！
さーて
出口《でぐち》を探《さが》そーぜ!!
部屋《へや》をくまなく調《しら》べよう！
なにか仕掛《しか》けがあるハズだぜ！
四方《しほう》の壁《かべ》……
床《ゆか》も…
なにもねーぞ!!

天井《てんじょう》がかなり高《たか》いな！
暗《くら》くてよくわからないけど吹《ふ》き抜《ぬ》けになっているのかな…
あ…！
あの壁《かべ》の所《ところ》に穴《あな》があいてる…！
床《ゆか》からは10メートル以上《いじょう》はあるぜ！
まさか壁《かべ》をよじ登《のぼ》れってんじゃねーだろーな！
そんなの無理《むり》よ！
くそ！
これじゃあどーしよーもない！先《さき》に進《すす》めないぜ！
まさか…
……
まさか…ここが行《い》き止《ど》まりなのかも…
海馬《かいば》のやつ最初《さいしょ》から…
遊戯《ゆうぎ》！弱気《よわき》になるんじゃねえ!!
……！
うん…
とにかくしばらくは様子《ようす》を見《み》るしかない……

ジョージったら さっきから ぐっすり 寝《ね》ちゃってるわ…
ガキンチョには ハードな 状況《じょうきょう》が 続《つづ》いたからな…
グー グー
もうかなりの 時間《じかん》がたってる… でも 状況《じょうきょう》は何《なに》も 変《か》わらない……
〜〜〜……
まさか…
ここで 終《お》わりなのかも ………
じーちゃん…
みんな…

ごめんね………
ごめんね…みんな…
ボクのせいで…！
ボクさえいなけりゃこんなことにはならなかったのに…!!
遊戯《ゆうぎ》…てめえ…
もう一度《ど》いって見《み》ろ!!
…！
城之内《じょうのうち》！やめろ！
どうしたのよ城之内《じょうのうち》…
…城《じょう》…
つまんねえこというなよ…
遊戯《ゆうぎ》…
オレ達《たち》がなんでお前《まえ》と一緒《いっしょ》に来《き》たのかわかんねえのかよ
仲間《なかま》だからじゃねーか！

!!
とにかくよ… 城之内《じょうのうち》…
その胸《むな》ぐら つかんだ手《て》は 離《はな》せよ…
昔《むかし》の イジメッ子《こ》 城之内《じょうのうち》くんじゃ ねーんだからよ！
ああ…
くだらねえ 不良《ふりょう》だった…
本田《ほんだ》！
オレら昔《むかし》から くだらねえ 不良《ふりょう》だったよなぁ
くだらねえ 社会《しゃかい》……
親《おや》……
くだらねえ 自分《じぶん》……
それまで 自分《じぶん》を好《す》きに なったことなんざ 一度《ど》だってなかった…
遊戯《ゆうぎ》…
お前《まえ》に 会《あ》うまではよ！
え…!?
ガキみてえに 純粋《じゅんすい》で…
やさしすぎて 損《そん》ばっかしてよ…
最初《さいしょ》は そんな遊戯《ゆうぎ》 見《み》て ムカついてたぜ！
バカじゃねえか と思《おも》った…

だがよ…それは遊戯《ゆうぎ》にムカついてたんじゃねえ…
自分《じぶん》にムカついてただけだったぜ……
それわかるぜ…
オレも
どーしようもなくムシャクシャしてる時《とき》…
誰《だれ》でもいいんだ…そこらのゴロツキでもいや…電柱《でんちゅう》だってかまわねえかも…
ケンカ売《う》って相手《あいて》をおもいきり力《リキ》こめてブン殴《なぐ》って…
ぶちのめして…ふと気《き》づくんだ…
本当《ほんとう》にぶちのめしてぇの………
自分《じぶん》なんじゃねえかって…
!
遊戯《ゆうぎ》…
昔《むかし》…お前《まえ》のパズルを盗《ぬす》み出《だ》したことがあったんだ…
……
それを返《かえ》す時《とき》……笑《わら》われっかも知《し》れねーけど生《い》きてた中《なか》で一番《ばん》勇《ゆう》気がいったぜ…
……!
だがそん時《とき》…自分《じぶん》をちっとばかし好《す》きになれたぜ…
それも生《い》きてた中《なか》で初《はじ》めてな……

遊戯《ゆうぎ》！
ガッ
仲間《なかま》ってさ
そいつのことが好《す》きでよー！
気《き》がつくと自分《じぶん》も好《す》きになれてよー！
だから一緒《いっしょ》にいたいんじゃねえか！
お前《まえ》が つらくて苦《くる》しいなら！
そいつをオレによこせよ！
それが仲間《なかま》じゃねーか!!
城之内《じょうのうち》くん……

オレは絶対《ぜったい》希望《きぼう》を捨《す》てねえから…
お前《まえ》も捨《す》てんじゃねえよ!
な遊戯《ゆうぎ》…
う…うん…
誰《だれ》でも一人《ひとり》だけじゃ自分《じぶん》を好《す》きになることなんてできないよね…
ヒトの一生《いっしょう》って自分《じぶん》を好《す》きになれるかなれないかのゲームなのかも…
ねえ!このまっ白《しろ》な部屋《へや》!まるでキャンバスみたいじゃーん!
私《わたし》さー!友達《ともだち》とさー思《おも》い出《で》の場所《ばしょ》に行《い》ったらね―名前《なまえ》書《か》いてきちゃうんだよね――!
いるいるーそーゆー奴《やつ》!
へへ
マジック!
みんな手《て》ェ出《だ》してー!
…!?
何《なに》する気《き》だ杏子《あんず》!
いいから早《はや》く――

ホラ！ピース！
なんだ——!?
いい！これから卒業《そつぎょう》とかしてバラバラになって一人《ひとり》になってつらい時《とき》があったら…
今《いま》この場所《ばしょ》で仲間《なかま》がこーして一緒《いっしょ》にいたってことを思《おも》い出《だ》して！
…！
おう！
すぐにこのマジックのインクなんて消《き》えちゃうけど……
私達《わたしたち》の心《こころ》の中《なか》でこの輪《わ》はけっして消《き》えることはないわ！
このピースの輪《わ》を思《おも》い出《だ》すの！
私《わたし》もニューヨークにダンスの勉強《べんきょう》に行《い》ったらいつも思《おも》い出《だ》すから！
おう！
うん！

ゴオオオ
あぶないい!!
!!
!
こ…これは…
上《うえ》から巨大《きょだい》なブロックが落《お》ちてきた!
ゲームだ!
DEATH《デス》-T《ティー》-3《スリー》のゲームが始《はじ》まったんだ!!
みんな気《き》をつけて!
またブロックが落《お》ちてくる!!

く…!!
さあ! そのブロックに つぶされずに生《い》きて 部屋《へや》を出《で》れるのは何人《なんにん》かな……
!!
ドスン☆
ドスン☆
ククク…
くそ…… どこにブロックが 落《お》ちてくるか わからない!!
とにかく 逃《に》げ回《まわ》るしかない!!
ドスン☆
フフ… 逃《に》げろ 逃《に》げろ…
仲間《なかま》のことなど 気遣《きづか》っていたら ブロックに つぶされてしまうぞ!
他人《たにん》を 犠牲《ぎせい》にしないと このゲーム攻略《こうりゃく》は 不可能《ふかのう》なのさ!

くそー
こりゃ「死《し》」の落《お》ちゲーだぜー!
もう逃《に》げ場《ば》がねーぞ!
ドスン☆
みんなブロックの上《うえ》に乗《の》るんだ!
これは この部《へ》屋《や》からの脱出《だっしゅつ》ゲームなんだよ!!
そうか! 落《お》ちてくるブロックをよけながら積《つ》み重《かさ》なったブロックにのぼって あの脱出口《だっしゅつぐち》にたどりつけばいいんだ!!
ドスン☆
みんな! なるべく端《はじ》には行《い》かない方《ほう》がいいよ!
ブロックにとじこめられたら終《お》わりだからね!
く…!
ドスン
くそーっ… これじゃあいずれつぶされちまうぜ!
なんとか切《き》り抜《ぬ》ける手《て》はねえのか!!

おい本田《ほんだ》！ジョージを投《な》げろ！
グウグウ
パス！
このガキ…この状況《じょうきょう》でよく寝《ね》てられるぜまったくー！
グウグウ
！
ちょっと待《ま》って！
このブロックが落《お》ちてくる間隔《かんかく》には一定《いってい》のリズムがあるわ！
ひょっとしたら落下位置《らっかいち》にも規則性《きそくせい》があるのかも……
そうか！杏子《あんず》はなんたってダンサー志望《しぼう》！！
リズムの読《よ》みには才能《さいのう》があるよね！
タン…タン…
タン…
そこ！！
すげえぞ！
ブロックの落下《らっか》位置《いち》をつかんだ！！

ブロックの落《お》ちる時間《じかん》の間隔《かんかく》はリズム！ブロックが落下位置《らっかいち》にステップ《足跡》を残《のこ》すと考《かんが》えれば——
ブロックは超単純《ちょうたんじゅん》なダンスを踊《おど》っているのと同《おな》じよ!!
そっか——！これだけ大《おお》がかりな仕掛《しか》けのゲームだと逆《ぎゃく》にコンピュータプログラムは単純《たんじゅん》でなければ制御《せいぎょ》できないんだ!!
ブロックに複雑《ふくざつ》なダンスを踊《おど》らせることはできねーってことだな！
よーし！あとはダンサーみてえな軽《かる》い身《み》のこなしで出口《でぐち》までたどり着《つ》けば万事解決《ばんじかいけつ》!!
ブロックの落下位置《らっかいち》さえわかりゃあ屁《へ》でもねえゲームだぜ!!
みんながんばれ！
出口《でぐち》までもうすぐだ！
遊戯《ゆうぎ》急《いそ》げ！
!!
え…!?
リズムが変《か》わった…!?
本田《ほんだ》危《あぶ》ない!!
!!

本田《ほんだ》
大丈夫《だいじょうぶ》か!
フーー
なんとかな…
気《き》をつけて
リズムの間隔《かんかく》が
早《はや》くなってる!
よし
急《いそ》ごう!!
…!
オレと杏子《あんず》は
出口《でぐち》にたどり
着《つ》いたぞ!
遊戯《ゆうぎ》!本田《ほんだ》!
遊戯《ゆうぎ》!
手《て》をかせ!早《はや》く!
本田《ほんだ》くんが
先《さき》に…
いいから
早《はや》くしろ!
出口《でぐち》が
ふさがる…
城之内《じょうのうち》!
遊戯《ゆうぎ》を
たのむ!
おう!!

4計画始動《プロジェクトスタート》!!(完《かん》)

おまけ ドキドキ スリル☆スゴロク ゲーム!

〈プレイヤー人数《にんずう》〉 1～5人《にん》
〈用意《ようい》するもの〉 サイコロ・駒《こま》
〈遊《あそ》び方《かた》〉 ◦駒《こま》をスタート地点《ちてん》においてゲームスタートだ!!
◦プレイヤーは順番《じゅんばん》にサイコロを振《ふ》り、出《で》た目《め》によって次《つぎ》の指示《しじ》に従《したが》うんだ!!

☆⚀は好《す》きな方向《ほうこう》に2コマ進《すす》める。(1コマでもOK《オーケー》)
☆⚁⚂⚃⚄はそれぞれ決《き》められた方向《ほうこう》に1コマ進《すす》む!

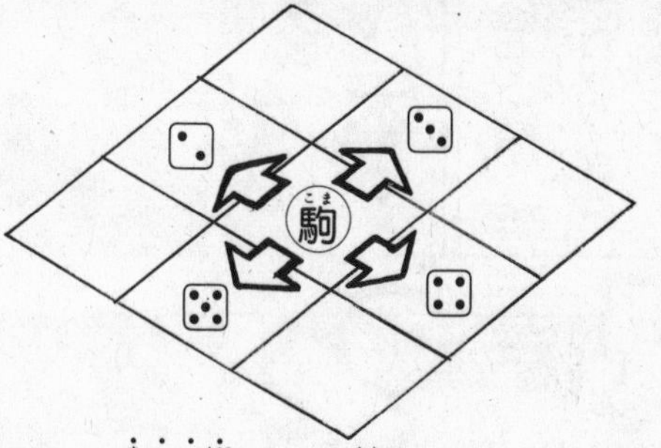

☆⚅はどこでも好《す》きな所《ところ》に2コマ進《すす》める。(1コマでもOK《オーケー》)
※但《ただ》しナナメ移動《いどう》はダメだぞ!!

図《ず》1

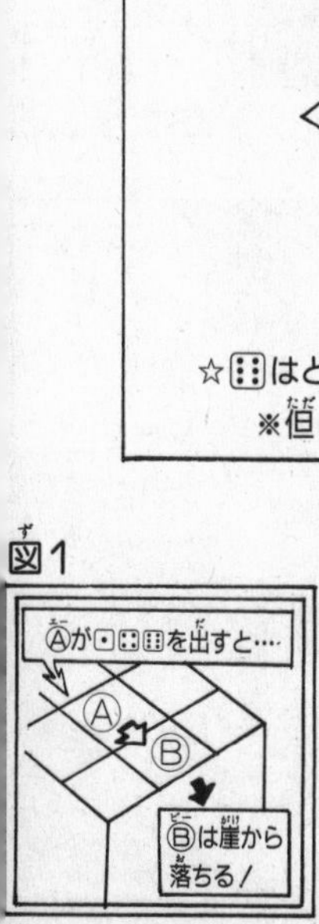

◦フィールド上《じょう》には岩《いわ》で進《すす》めない場所《ばしょ》もあるぞ。
◦駒《こま》が崖《がけ》から落《お》ちたらスタート地点《ちてん》に戻《もど》るんだ!!
(1人《ひとり》で遊《あそ》ぶ場合《ばあい》はそこでゲーム・オーバー!)
◦他《ほか》のプレイヤーの駒《こま》を押《お》しだすこともできるぞ。(図《ず》1)

さあ、一番先《いちばんさき》にゴールにたどり着《つ》いた者《もの》の勝《か》ちだぞ!!

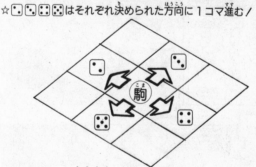

C《シー》へ
ワープ
A《エー》へ
ワープ
START
A《エー》へ
ワープ
B《ビー》へ
ワープ
C《シー》へ
ワープ
D《ディー》へ
ワープ
F《エフ》へ
ワープ

A
B《ビー》へワープ
C《シー》へワープ
D《ディー》へワープ
D《ディー》へワープ
B
C《シー》へワープ
C《シー》へワープ
F《エフ》へワープ
F《エフ》へワープ
D《ディー》へワープ
H《エイチ》へワープ

⚀⚂は
モンスターのエジキ！
ゲームオーバー
C
F《エフ》へ
ワープ
H《エイチ》へ
ワープ
E《イー》へ
ワープ
B《ビー》へ
ワープ
H《エイチ》へ
ワープ
C《シー》へ
ワープ
F《エフ》へ
ワープ
D
G《ジー》へ
ワープ
E《イー》へ
ワープ

H《エイチ》へ
ワープ
G《ジー》へ
ワープ
G《ジー》へ
ワープ
H《エイチ》へ
ワープ
F
D《ディー》へ
ワープ
G《ジー》へ
ワープ
H《エイチ》へ
ワープ
E

一回《いっかい》休《やす》み
G
C《シー》へ
ワープ
GOAL
D《ディー》へ
ワープ
F《エフ》へ
ワープ
一回《いっかい》休《やす》み
H
B《ビー》へ
ワープ
A《エー》へ
ワープ
G《ジー》へ
ワープ
G《ジー》へ
ワープ

■ジャンプ・コミックス

遊☆戯☆王

4 計画始動《プロジェクトスタート》!!

1997年9月9日　第1刷発行

著者　高橋和希

編集　ホーム社
東京都千代田区一ツ橋2丁目5番10号
〒101-50
電話　東京　03(5211)2651

発行人　坂口紀和

発行所　株式会社　集英社
東京都千代田区一ツ橋2丁目5番10号
〒101-50
電話　東京　03(3230)6233(編集)
03(3230)6191(販売)
03(3230)6076(制作)
Printed in Japan

印刷所　大日本印刷株式会社

ISBN4-08-872314-7 C9979